LE VIRUS DU NIL OCCIDENTAL

Le connaître, réagir et se protéger

Catalogage avant publication de la Bibliothèque nationale du Canada

Bourassa, Jean-Pierre, 1943-

Le virus du Nil occidental : le connaître, réagir et se protéger

Comprend des réf. bibliogr.

ISBN 2-89544-055-7

1. Virus West Nile – Ouvrages de vulgarisation. 2. West Nile, Fièvre à virus – Prévention – Ouvrages de vulgarisation. 3. West Nile, Fièvre à virus – Épidémiologie – Ouvrages de vulgarisation. 4. Insectes (Vecteurs de maladies) – Ouvrages de vulgarisation. I. Boisvert, Jacques. II. Titre.

RA644.W47B68 2004   614.5'885   C2004-940485-7

Jean-Pierre Bourassa
Jacques Boisvert

Le connaître, réagir et se protéger

ÉDITIONS
MULTIMONDES

Révision linguistique: Dominique Johnson
Photo de la couverture: Corporation pour le développement
                        du Parc de l'île Saint-Quentin, Trois-Rivières
Illustrations: Paul Berryman
Impression: AGMV Imprimeur inc.

ISBN 2-89544-055-7
Dépôt légal – Bibliothèque nationale du Québec, 2004
Dépôt légal – Bibliothèque nationale du Canada, 2004

ÉDITIONS MULTIMONDES
930, rue Pouliot
Sainte-Foy (Québec) G1V 3N9
CANADA
Téléphone: (418) 651-3885
Téléphone sans frais depuis l'Amérique du Nord: 1 800 840-3029
Télécopie: (418) 651-6822
Télécopie sans frais depuis l'Amérique du Nord: 1 888 303-5931
multimondes@multim.com
http://www.multim.com

DISTRIBUTION EN LIBRAIRIE AU CANADA
Diffusion Dimedia
539, boulevard Lebeau
Saint-Laurent (Québec) H4N 1S2
CANADA
Téléphone: (514) 336-3941
Télécopie: (514) 331-3916
general@dimedia.qc.ca

DISTRIBUTION EN BELGIQUE
Librairie Océan
Avenue de Tervuren 139
B-1150 Bruxelles
BELGIQUE
Téléphone: +32 2 732.35.32
Télécopie: +32 2 732.42.74
g.i.a@wol.be

DISTRIBUTION EN FRANCE
Librairie du Québec
30, rue Gay-Lussac
75005 Paris
FRANCE
Téléphone: 01 43 54 49 02
Télécopie: 01 43 54 39 15
liquebec@noos.fr

DISTRIBUTION EN SUISSE
SERVIDIS SA
Rue de l'Etraz, 2
CH-1027 LONAY
SUISSE
Téléphone: (021) 803 26 26
Télécopie: (021) 803 26 29
pgavillet@servidis.ch
http://www.servidis.ch

Les Éditions MultiMondes reconnaissent l'aide financière du gouvernement du Canada par l'entremise du Programme d'aide au développement de l'industrie de l'édition (PADIÉ) pour leurs activités d'édition. Elles remercient la Société de développement des entreprises culturelles du Québec (SODEC) pour son aide à l'édition et à la promotion.

Gouvernement du Québec – Programme de crédit d'impôt pour l'édition de livres – gestion SODEC.

IMPRIMÉ AU CANADA/PRINTED IN CANADA

Aux collègues enseignants, chercheurs ou administrateurs qui, un jour, ont cru qu'une recherche sur les insectes piqueurs n'était pas sans utilité.

Aux étudiants qui ont eu la même passion que nous lors de travaux sur le terrain : le goût de découvrir la Nature, sa fragilité et la richesse de ses composantes.

Remerciements

L'arrivée du virus du Nil en Amérique devait déclencher dès 1999 la mise sur pied de comités et de tables de discussion ayant permis des échanges fructueux favorables à l'acquisition et à l'avancement des connaissances sur cet agent pathogène, ses animaux réservoirs, ses vecteurs et surtout les risques pour la santé humaine. Nous avons rencontré de nombreuses personnes au cours des trois dernières années. Beaucoup d'information et de données firent l'objet d'études, d'examens et même de conversations devenues presque courantes, le tout devant alimenter les réflexions soutenant l'écriture du présent ouvrage.

Des remerciements sincères sont adressés aux personnes dont les noms suivent et qui n'ont pas hésité à engager des discussions franches avec nous; elles ont toujours manifesté un intérêt pour le sujet et proposé des avenues intéressantes pouvant déboucher sur des solutions pour contrer la progression du virus du Nil et protéger ou améliorer la qualité de vie des citoyens. Ce sont les biologistes entomologistes Christian Back, Roger Savignac et Jean-Guy Lanouette, de la firme GDG Environnement de Trois-Rivières, des Drs Monique Douville-Fradet et Horacio Arruda, de la Direction de la santé publique au ministère de la Santé et des Services sociaux du Québec, de la D^{re} Chantal Vincent, médecin vétérinaire au ministère de l'Agriculture, des Pêcheries et de l'Alimentation du Québec, du Dr Michel Couillard, microbiologiste au Laboratoire de santé publique du Québec, de la D^{re} Fiona Hunter, de l'Université Brock, en Ontario, du Dr Roger Nasci, du Center for Disease Control and Prevention (CDC), à Fort Collins, au Colorado, du Dr Robbin Lindsay, entomologiste du Laboratoire d'analyses microbiologiques de Santé Canada à Winnipeg, et de MM. Daniel Bolduc, de l'Institut national de santé publique du Québec, et Jean-François Bourque, du ministère de l'Environnement du Québec.

Nous témoignons de la reconnaissance envers de nombreux collègues du Département de chimie-biologie ainsi que pour les autorités de l'Université du Québec à Trois-Rivières, pour leur appui aux démarches engagées tant dans la préparation du livre que dans la participation à de nombreuses discussions liées au virus du Nil.

Nous exprimons une profonde gratitude à M. Jean-Marc Gagnon, président des Éditions MultiMondes, qui a reçu avec chaleur et enthousiasme notre proposition de manuscrit. Nos plus sincères remerciements pour son acceptation à publier cet ouvrage et pour ses encouragements à rendre disponibles au public les connaissances acquises sur la nature et ses composantes au cours de carrières universitaires consacrées à l'enseignement et à la recherche.

Un hommage particulier s'adresse à nos épouses respectives, Claire et Louise, pour avoir bien voulu revoir les textes, formuler commentaires et suggestions, mais surtout pour leur patience sans bornes à entendre parler, pendant des années, d'anecdotes, de rapports à terminer et de demandes de soutien financier, tous associés à des problèmes soulevés par de têtus et agaçants moustiques.

À vous tous, merci infiniment.

Jean-Pierre Bourassa et Jacques Boisvert

Table des matières

INTRODUCTION 1

CHAPITRE 1
Un nouveau microbe envahit l'Amérique : une histoire s'écrit ..7

CHAPITRE 2
Regard attentionné sur des insectes déjà méprisés 31

CHAPITRE 3
Des milieux de vie oubliés, maintenant considérés 43

CHAPITRE 4
Le moustique révélé 57

CHAPITRE 5
Habitudes de vie décriées mais combien efficaces 69

CHAPITRE 6
Un intrus dans le cycle naturel des moustiques
d'Amérique du Nord..85

CHAPITRE 7
Comment diminuer les risques d'infection
par le virus du Nil occidental 109

CONCLUSION
Allons jouer dehors! 123

Glossaire..127
Pour en savoir plus...131

Introduction

On était loin de s'attendre à ce qu'une maladie nouvelle, d'origine tropicale, fasse un jour son entrée sur le continent nord-américain. On croyait connaître les conditions favorisant l'éclosion de la grande majorité des maladies, forts des expériences vécues et des progrès réalisés au cours des dernières décennies, notamment en biologie expérimentale et en médecine préventive. On connaît les microbes responsables de la plupart des maladies actuelles, de même que les symptômes apparaissant chez les personnes touchées; des mesures préventives se sont avérées efficaces ainsi que les moyens d'y remédier. On arrive même à prévoir l'émergence de certaines maladies à la lumière des conditions de vie des gens. De plus, il est possible de cerner, souvent avec exactitude, les cycles de développement des agents infectieux responsables de la plupart des affections qu'ils peuvent engendrer. Certaines maladies, comme le sida et le syndrome respiratoire aigu sévère (SRAS), demeurent récentes et leur présence en terre d'Amérique soulève diverses questions sur les causes exactes de leur venue et de leur implantation.

L'arrivée en 1999 du virus*[1] du Nil occidental (VNO) a pris par surprise les Nord-Américains qui se croyaient à l'abri de toute nouvelle intrusion d'agents pathogènes pouvant porter préjudice à la santé publique. Les responsables des divers services de santé en Amérique ont dû répondre à l'inquiétude manifestée par les citoyens. On est devenu inconfortable. Au départ, on ne savait pas à quel intrus on avait affaire ni à quel point il allait perturber rapidement la tranquillité de chacun. De leur côté, les scientifiques de plusieurs disciplines, particulièrement ceux du domaine des sciences de la nature, entrevoyaient depuis plusieurs années les conséquences possibles de diverses atteintes à la

---

1. Les mots suivis d'un astérisque à leur première mention font l'objet d'une définition dans le glossaire à la fin du livre.

qualité de l'environnement et de changements majeurs dans les activités des gens. Par exemple, on craignait les effets de l'utilisation non appropriée du territoire, de l'accumulation encore trop importante de déchets recyclables et de l'appropriation effrénée, à des fins récréatives, commerciales ou résidentielles, d'espaces verts mais au statut écologique le plus souvent précaire. On s'est aperçu qu'on modifiait les milieux naturels sans tenir compte de la détérioration des habitats* ou des pertes subies par les plantes et les animaux, ceux-ci soutenant par leurs fonctions vitales la qualité des milieux que nous convoitions pour nos activités. Déjà, dans les deux dernières décennies du 20e siècle, on allait même avancer la forte probabilité d'émergence de nouvelles maladies associées à de tels changements dans l'environnement.

Particulièrement au cours des cinquante dernières années, les activités humaines ont manifestement bouleversé les écosystèmes* naturels, perturbant par le fait même les cycles écologiques de nombreuses espèces végétales et animales. Une urbanisation immodérée et une expansion territoriale sans précédent des banlieues, réalisées au détriment d'espaces naturels, devaient tôt ou tard se répercuter sur la qualité de vie des gens. La vocation agricole de nombreuses terres fut délaissée et beaucoup de leurs ruisseaux se sont colmatés, faute d'entretien ; le plus souvent, ces derniers ont donné lieu à la formation de plans d'eau stagnante favorables à l'installation de populations de moustiques[2]. De plus, l'écoulement dirigé des eaux de précipitation dans les villes aux immenses stationnements asphaltés s'est substitué au drainage naturel des eaux de surface ; l'eau s'accumule alors dans des bassins de rétention dont les débordements entraînent la formation de mares et amènent de tels insectes à s'y établir, puis à proliférer. Aussi, le harnachement de rivières visant de meilleures productions énergétiques a entraîné l'envahissement de terres riveraines devenues à tout jamais des lieux d'éclosion de moustiques. Ces atteintes aux habitats naturels ont également été constatées dans des opérations de déboisement exagérées en zones suburbaines et rurales.

---

2. *Moustique* et *maringouins* sont deux synonymes indifféremment employés dans le texte.

Bon nombre d'animaux chassés de leur milieu naturel sont refoulés vers les villes et les villages, avec pour conséquence des contacts plus fréquents avec les humains. Les parasites (virus, bactéries*, tiques, puces, etc.) qu'ils peuvent porter sont susceptibles de se disséminer dans de nouveaux environnements. Il en est de même de la venue de nombreux oiseaux attirés par des mangeoires. En somme, la fréquence des rencontres avec des animaux a augmenté de façon importante au cours des dernières décennies, souvent pour le plaisir des citadins, mais parfois par inadvertance!

Les pratiques agricoles visant des rendements toujours plus élevés ont entraîné le recours à de nouvelles essences végétales mieux sélectionnées et à l'utilisation de pesticides devant déjouer le développement d'insectes, de petits mammifères et de végétaux dérangeants. Des réactions vives et multiples n'ont pas tardé: des insectes étrangers s'y sont implantés, d'autres déjà présents ont développé une résistance aux produits utilisés, des prédateurs naturels sont disparus, de nouveaux végétaux se sont installés en bordure des champs, risquant d'empiéter sur ces derniers et de limiter alors la croissance d'espèces locales.

Les déplacements sur de longues distances, plus nombreux et rapides grâce à des moyens de locomotion variés, sont à l'origine d'une plus grande exposition des humains à divers agents infectieux; ainsi, ils participent à la propagation de beaucoup de microbes à l'échelle planétaire, puisqu'ils permettent de s'installer sur de nouveaux territoires, voire de nouveaux continents. De plus, les risques d'introduction d'animaux clandestins, tels les insectes, les acariens, les petits mammifères et les oiseaux, à bord d'avions et de navires, ont augmenté, malgré la vigilance des transporteurs.

Les perturbations climatiques observées au cours des dernières années s'inscrivent dans le cadre d'un réchauffement global de l'atmosphère enregistré au cours du 20e siècle. Peut-être le tout s'insère-t-il dans des cycles beaucoup plus longs. Cependant, nous ressentons les effets de ces changements au gré des saisons tout comme le subissent les végétaux et les animaux

3

qui réagissent de diverses façons. Encore ici, il faudra s'attendre à ce que, parmi eux, de nouveaux arrivants fassent leur apparition sur des territoires nouveaux, cette fois plus nordiques. En outre, des effets de réchauffement au cours d'une même saison sont susceptibles d'entraîner des modifications sur la vitesse de développement de plantes et d'animaux et certainement sur la multiplication des microorganismes qui leur sont associés, comme les bactéries et les virus.

Les habitudes des gens ont aussi changé. Ceux-ci sont davantage en contact avec la nature et ses composantes. Par exemple, la pratique de l'équitation est devenue très populaire et l'adoption d'animaux, souvent sauvages et même importés, est maintenant affaire courante. La population vieillissante est de plus en plus nombreuse et beaucoup de ces personnes bénéficient de ressources financières favorables à des déplacements à l'étranger ou vers des havres de paix en bordure de lacs.

Il faut donc s'attendre à ce que nos actions économiques ou ludiques portent atteinte à l'environnement qui réagira d'une façon ou d'une autre par ses composantes physiques et biologiques. C'est un constat actuel qu'on peut aussi appliquer à l'histoire des interventions humaines partout sur la planète.

L'arrivée du virus du Nil en Amérique ainsi que son extension continentale sont devenues sources de problèmes ; toutefois, le phénomène a mobilisé les scientifiques et le grand public, et enrichi les connaissances en épidémiologie* de même qu'en écologie*. C'est une première en Amérique du Nord alors qu'un agent infectieux, des oiseaux et des moustiques alimentent les discussions des scientifiques et les conversations publiques. Cependant, leur implication respective demeure complexe comme dans la plupart des maladies dites *à vecteurs**. Les responsables des services de santé publique, les biologistes spécialisés en entomologie* et les médecins vétérinaires devront faire preuve d'une maîtrise totale de leur savoir respectif afin de contrecarrer ou tout au moins atténuer de façon importante les impacts de ce type de microbe sur la santé humaine et animale.

Le présent livre a pour objet principal d'informer le grand public sur la venue en Amérique de ce nouvel agent infectieux qu'est le VNO, sur les causes probables de son implantation, sur les rôles joués par des animaux locaux dans sa propagation ainsi que sur les préjudices qu'il peut causer à la qualité de vie de personnes. Les grandes étapes de son invasion et de ses premières conséquences sur le bien-être collectif constituent l'entrée en matière ; elles permettront, nous le souhaitons, de saisir toute l'incertitude qui entourait son arrivée, mais aussi d'apprécier la promptitude de nombreuses opérations mises sur pied pour le connaître, réagir contre sa propagation et protéger la vie de chacun.

Ceux qui participent à la dissémination du VNO (oiseaux, maringouins) sont présentés dans leurs modes de vie. Il devient alors possible de constater que leur présence dans une telle dissémination n'est pas le fruit du hasard ; elle découle de capacités intrinsèques liées à chacun d'eux dans l'accomplissement de cycles biologiques précis. De plus, les attitudes des humains peuvent expliquer, du moins en partie, le *succès* rencontré jusqu'à maintenant par le VNO en terre d'Amérique. Des mesures de protection personnelle contre l'agression des moustiques sont présentées. Toutefois, il ne sera pas question de lutte à grande échelle contre ces insectes ; cette mesure de protection relève de spécialistes et ne doit s'appliquer que dans des situations particulières jugées inquiétantes pour la santé humaine. Enfin, des questions maintes fois soulevées autour du virus du Nil font l'objet d'encadrés ponctuels qui figurent, selon les sujets traités, tout au long des chapitres.

Nous avons voulu éviter les termes trop techniques, sachant fort bien que l'expert ou la personne qui voudra en connaître davantage sur les points soulevés sera en mesure de consulter l'importante documentation qui existe sur le monde des insectes piqueurs et sur celle qui prend de l'ampleur en ce moment, soit le virus du Nil occidental. Aussi, des chiffres notamment associés aux personnes et aux animaux atteints par le VNO ne sont présentés que pour faire prendre connaissance de l'ampleur du phénomène; cependant, nous les avons limités à l'essentiel, ces données étant mises à jour régulièrement compte tenu de l'activité d'un tel virus dans le temps et l'espace. Quelques termes plus particuliers sont expliqués dans le glossaire. Nous espérons que celui-ci permettra aux personnes non initiées à l'écologie ou à la biologie d'enrichir leurs connaissances et d'apprécier la teneur des propos.

Chapitre 1

Un nouveau microbe envahit l'Amérique

Une histoire s'écrit

Partout, dans le monde, les risques d'apparition d'épidémies mobilisent rapidement les services de santé des gouvernements, compte tenu que, au départ, on connaît rarement l'ampleur que peut prendre une maladie infectieuse. Cette dernière peut se traduire par des mortalités, des pertes de qualité de vie et, évidemment, puisqu'il faut le reconnaître, une chute de productivité pour une société. Il est très difficile de prédire l'étendue des zones d'expansion d'un microbe et celle de la maladie qu'il peut engendrer, car beaucoup de facteurs interviennent. Dans les pays où les systèmes de santé sont bien en place, de grands efforts sont consentis afin de prévenir de telles invasions et de contrecarrer les risques d'épidémies.

Dans le cas qui nous intéresse, jamais on n'aurait imaginé l'apparition en l'Amérique du Nord, d'un nouveau microbe et sa propagation aussi rapide associée à des risques majeurs pour la santé humaine. De plus, il était imprévisible sous climat tempéré que des oiseaux et des insectes, en l'occurrence des maringouins, puissent être porteurs et disséminateurs d'un même microbe originaire de régions tropicales. En réalité, c'est un nouveau chapitre de l'histoire médicale nord-américaine qui a commencé à s'écrire, évoquant pour la première fois des considérations environnementales découlant d'activités humaines.

Le virus du Nil occidental est arrivé dans la ville la plus populeuse d'Amérique, trouvant là des conditions propices à son installation et à sa dissémination. Le plus souvent, une mégapole comme New York renferme des quartiers plus densément peuplés que d'autres et, conséquemment, des lieux d'accumulation, souvent à l'arrière des habitations et des édifices commerciaux, d'objets divers destinés aux rebuts; de tels objets ajoutent aux risques de voir se constituer des milieux favorables à l'éclosion et à l'émergence de certaines maladies impliquant des animaux. On reconnaît que ces lieux peuvent attirer des rongeurs et soutenir le développement de la vermine*; mais, cette fois, les animaux visés et incriminés sont des maringouins qui profitent de l'eau des précipitations retenue dans les rebuts en question pour croître et proliférer. À ces objets domestiques, il ne faut pas négliger des refuges particuliers pour les moustiques, notamment les puisards et les diverses canalisations dans lesquels l'eau peut stagner. Il arrive que les insectes en question soient infectés et puissent transmettre le virus par leurs piqûres à des animaux du voisinage ou à des humains.

Un autre élément allait favoriser la survie du virus du Nil en terre d'Amérique; ce sont des animaux en mesure de le garder pendant un certain temps dans leur corps avant de se faire piquer par des maringouins. Dans ce cas, les oiseaux sont tout désignés pour assumer cette fonction. Toutefois, il n'est pas nécessaire qu'ils soient dans l'environnement immédiat des maringouins; ceux-ci, tout comme les oiseaux, ont la capacité de se déplacer facilement. Voilà les acteurs réunis dans un espace urbain répondant aux exigences minimales pour leur implantation, leur développement ou même leur multiplication. Et les humains? C'est là que tout se complique. Certains écoperont, la plupart n'en seront même pas incommodés!

New York, été 1999

New York, destination incontournable pour bon nombre de touristes en provenance des quatre coins de la planète. Toutefois, la ville s'apprête à accueillir un nouvel arrivant, microscopique, qui troublera son équilibre urbain. C'est une ville remplie de mystères, fortement cosmopolite, teintée d'une sympathie attachante tant pour ses habitants, ses gratte-ciel et ses parcs que pour ses institutions culturelles, commerciales et sportives. Tout visiteur y trouve ses intérêts, souhaitant y passer du bon temps à s'initier à ses attraits ou à s'en régaler. Il se dégage toujours une fierté d'avoir séjourné à New York!

C'est une ville qui comporte plusieurs grands quartiers, chacun d'eux unique et invitant. Entre Staten Island et Manhattan, la statue de la Liberté rappelle cette terre d'accueil que fut et continue d'être l'Amérique. Sur l'île de Manhattan, les sites des grands sièges sociaux, des échanges monétaires et du commerce international se révèlent sous l'aspect d'édifices imposants qui dictent un certain mode de pensée et de vie à ceux qui les fréquentent. D'importantes artères traversent cette grande cité le long desquelles se succèdent des hôtels prestigieux, de grands magasins, de beaux endroits comme la Petite Italie, Greenwich Village et le quartier chinois ainsi que des places renommées comme Time Square et Central Park, ce dernier, impressionnant par ses grands arbres, ses espaces verts bordés de maisons luxueuses et du prestigieux Muséum d'histoire naturelle. D'autres quartiers, tels Harlem, le Queens et le Bronx, demeurent très peuplés mais sont non moins dépourvus d'intérêt pour les visiteurs et ceux qui les habitent. Les maisons ne sont pas récentes, certaines parfois négligées, leur cour arrière accumu-lant souvent des objets hétéroclites plutôt destinés aux rebuts. Ce sont des quartiers pittoresques et beaucoup de gens y vivent et y travaillent, certains de façon autonome, d'autres engagés par des industries et des commerces locaux.

L'été 1999 semble se dessiner comme toutes les autres saisons estivales. Il fait particulièrement chaud et l'affluence touristique demeure importante. En plusieurs endroits de la ville, l'abondance des moustiques ou maringouins semble vouloir caractériser cette dernière année du millénaire qui s'achève, un peu pour rappeler leur présence fort ancienne sur le continent et leur victoire sur le temps. On déplore leur assiduité et les piqûres qu'ils infligent, notamment en début de soirée pendant les concerts ou les balades dans Central Park. Les précipitations sont plutôt rares cette saison, et la chaleur humide accablante.

Mais, c'est New York! On oublie rapidement les inconvénients climatiques; les agressions des moustiques semblent reléguées au second rang des préoccupations.

Août : des inquiétudes surgissent

Toujours à New York, les gens continuent d'arpenter les principales voies et les places publiques. Les moustiques, favorisés dans leur survie par un microclimat propice, se manifestent surtout en fin de journée. Dans un centre hospitalier de la ville, un médecin infectiologue rapporte deux cas de méningo-encéphalite[3] chez des patients provenant du Queens. Ce type de maladie, caractérisée par une infection du cerveau (encéphale), de ses enveloppes (méninges) et même de la moelle épinière, est à déclaration obligatoire; celle-ci vise à informer les responsables de la santé publique et à entrevoir toute possibilité d'émergence de certaines maladies à répercussions épidémiques possibles. L'information relative aux deux cas d'encéphalite rapportés retient l'attention de plusieurs médecins soulignant que d'autres diagnostics, ailleurs dans New York, semblent conduire au même type de constat chez des patients hospitalisés. Ainsi, on rapporte rapidement pour la métropole américaine au moins 700 cas suspectés d'encéphalite ou de fièvre apparentée à cette dernière. Voilà de quoi inquiéter le monde médical. Dès la troisième semaine d'août, dans tous les hôpitaux et les centres de santé immédiats, on augmente la surveillance de tels cas. On croit alors que c'est une première manifestation de l'encéphalite de Saint-Louis que s'apprêterait à vivre la population de New York. Cette maladie trouve son origine chez un virus transmis par la piqûre de moustiques. Face à une telle éventualité, on décide d'investiguer les populations de moustiques des quartiers d'où proviennent les personnes affectées. On procède même à des répressions chimiques de ces insectes, compte tenu qu'on leur reconnaît les rôles d'acteurs principaux dans la dissémination du virus de Saint-Louis. On vise alors les moustiques adultes qui fréquentent surtout les parcs et les espaces boisés.

---

3. Afin d'alléger le texte, le terme *encéphalite* sera employé; toutefois, on comprendra qu'il peut se rapporter à des affections du cerveau, des membranes qui l'entourent et de la moelle épinière.

Par ailleurs, depuis la mi-août, biologistes et vétérinaires rapportent que plusieurs centaines de corneilles mortes sont trouvées notamment à proximité ou dans le parc zoologique du Bronx. Ce ne sont pas des oiseaux qui étaient gardés en captivité, mais des oiseaux sauvages. Aussitôt, on établit un lien probable entre ces mortalités et les cas d'encéphalite accablant des patients hospitalisés. On sait que des oiseaux sont aussi impliqués dans la dissémination du virus responsable de l'encéphalite de Saint-Louis. Dès lors, on les soupçonne d'être associés au problème qui touche des gens de New York. Il ne reste plus qu'à des moustiques de les piquer pour obtenir le virus, celui-ci pouvant se retrouver chez des humains aux prochaines piqûres. Des analyses sérologiques* sur plusieurs oiseaux morts sont réalisées afin de vérifier si le virus en question est bel et bien présent chez eux. Toutefois, à la suite des expertises effectuées tant sur les moustiques que sur les oiseaux, on fait face à un problème déroutant: on se bute à des réactions sérologiques qui traduisent plutôt la présence d'un virus autre que celui de Saint-Louis, bien qu'il paraisse apparenté à ce dernier. De quel virus s'agit-il?

Septembre 1999: une confirmation inattendue

Ce mois devient crucial pour l'identification du nouveau virus apparu en Amérique. Des carcasses d'oiseaux, notamment de corneilles et de geais, continuent d'être rapportées. Dans les hôpitaux, de nouveaux cas d'encéphalite et de fièvre ne cessent de s'ajouter.

On entrevoit alors la présence d'un virus étranger, mais apparenté à celui de Saint-Louis, déduction appuyée sur la manifestation de cas d'encéphalite ainsi que sur l'implication de moustiques dans sa dissémination. Il devient pressant de pousser plus loin les analyses et les vérifications. Des tissus provenant de corneilles trouvées en banlieue de New York, d'autres du zoo du Bronx ainsi que des pools (échantillons de plusieurs dizaines d'individus) de moustiques sont soumis à des analyses approfondies dans au moins trois laboratoires différents et éloignés les uns des autres (New York, Connecticut,

Colorado). Ces échantillons ont révélé, et on était loin de s'y attendre, la présence certaine du virus du Nil occidental (VNO), dissipant ainsi l'imbroglio causé par de supposées infections attribuées jusqu'alors au virus de Saint-Louis. Toutefois, dans les deux cas, on savait que des moustiques étaient les vecteurs* du virus et que des oiseaux en constituaient les réservoirs[4]. Les études faites sur la biologie et l'écologie des moustiques depuis plusieurs années devaient s'avérer fort pertinentes au suivi que les autorités gouvernementales envisageaient de mettre de l'avant. Dorénavant, les atteintes à la santé et à la qualité de vie des citoyens seront au centre des préoccupations des dirigeants et des chercheurs médicaux, s'ajoutant implacablement à d'autres problèmes de santé non moins importants.

À la suite des recommandations de biologistes entomologistes et de médecins infectiologues, les autorités gouvernementales décident de mesures à prendre afin de surveiller la propagation du virus du Nil dans les États avoisinant celui de New York, compte tenu que les oiseaux soupçonnés porteurs du virus peuvent se déplacer sur de bonnes distances et surtout que les populations de moustiques sont toujours actives en cette période de fin d'été. Aussi, ce qui devenait fort inquiétant, beaucoup d'oiseaux engagent des migrations et pourraient favoriser la dissémination du virus sur de plus larges territoires. Dès ce moment, un suivi serré des oiseaux retrouvés morts et des moustiques infectés est engagé vers le nord et le sud-est du pays. On relève et récolte les oiseaux qui sont morts sans raison apparente, entre autres ceux de la famille des Corvidés (corneilles, corbeaux, geais, etc.); on s'intéresse aussi aux autres animaux morts de façon suspecte. Les agents de la faune ainsi que des citoyens participent activement. On sait que des corneilles mortes avaient été rapportées en abondance dans la ville de New York au moment où les premiers cas d'encéphalite furent signalés. Les Corvidés alors récoltés devenaient, s'ils étaient infectés, des indicateurs importants de la présence du VNO, et leurs carcasses furent dûment enregistrées, permettant ainsi un suivi étroit de la progression des cas d'encéphalite sur le territoire américain.

---

4. Animaux chez lesquels le virus peut se multiplier, souvent au péril de leur vie.

Les Corvidés, corbeaux, corneilles et geais, sont les oiseaux les plus touchés et affectés par le virus du Nil occidental. Alain Hogue, Photo-Nature

Plus tard, à l'automne 1999

On réajuste les opérations de surveillance et de lutte contre les insectes, cette fois impliquant ce microorganisme en épidémiologie nord-américaine, le VNO qu'on vient de confirmer comme envahisseur fortement infectant. On peut comprendre que, ce virus étant moins documenté en Amérique et, surtout, que sa venue fut tout à fait inattendue, un certain délai ait précédé sa reconnaissance officielle.

En septembre, des oiseaux exotiques gardés en captivité au zoo du Bronx sont retrouvés morts. Des nécropsies effectuées plus tard sur ces oiseaux ont révélé divers degrés d'altérations nerveuses attribuées au VNO.

13

Au début de décembre, on est en mesure de confirmer que 62 personnes ont été affectées d'une encéphalite associée au VNO; 7 en sont mortes. Certaines personnes auraient même été contaminées alors qu'elles voyageaient dans le métro de New York, des moustiques pouvant être présents dans ce type d'environnement urbain. Le virus a aussi été détecté chez des animaux dans les États du Connecticut, du New Jersey et du Maryland. La propagation du VNO s'est donc étendue à quatre États au cours des quelques mois qui ont suivi son entrée en Amérique.

Selon des scientifiques américains, le VNO aurait atteint l'Amérique un peu plus tôt au printemps 1999 et peut-être même avant, quelque part dans l'Est de l'Amérique (beaucoup d'hypothèses sont avancées au sujet de cette entrée). Ses premières manifestations n'ont cependant été constatées qu'en août 1999.

L'année du nouveau millénaire

On associe à la venue du nouveau millénaire une foule d'événements plutôt catastrophiques, pour la plupart sortis de l'imaginaire. En aucun temps l'émergence d'une maladie n'a été retenue, encore moins l'incidence d'activités liées à des oiseaux et à des moustiques. Tout au plus, la propagation rapide du VNO aura amené certaines personnes à prévoir une ère de catastrophes écologiques! Aux États-Unis, on est allé jusqu'à soulever l'hypothèse terroriste pour expliquer l'apparition du virus, ce qui fut rapidement écarté par des spécialistes en santé humaine du Center for Disease Control and Prevention (CDCP ou par tradition, CDC)[5] d'Atlanta, en Géorgie. Certains ont même recherché chez ce cher Nostradamus (on lui en a fait dire des choses à ce Provençal!) des énoncés inédits laissant croire en une telle invasion. Une chose est certaine, jamais on n'aurait imaginé qu'au seuil du 21e siècle, un virus, des corneilles et des maringouins deviendraient les points de mire des Nord-Américains et les têtes d'affiche des médias. Une anxiété s'est rapidement emparée des gens et l'appellation *virus du Nil* fait dorénavant partie des conversations usuelles.

---

5. L'équivalent canadien du CDCP est le Laboratoire de lutte contre la maladie (LLCM).

Au début de l'été 2000, le virus du Nil se serait manifesté plutôt en banlieue de New York ainsi que dans sept nouveaux États américains : le Massachusetts, le New Hampshire, le Vermont, le Delaware, la Pennsylvanie, la Virginie et la Caroline du Nord. C'est aussi en ce début d'été qu'un laboratoire de Californie précise que le virus ayant frappé New York en 1999 serait une souche semblable, mais plus virulente, que celle qui s'est signalée en Israël en 1998 ; aussi, une seule souche du virus du Nil serait entrée en Amérique. Face à une épidémie possible, on invite alors les citoyens à éliminer les divers contenants pouvant accumuler de l'eau et à utiliser des répulsifs personnels (chasse-moustiques) pour se protéger contre les piqûres de moustiques pendant les sorties habituelles au cours de la belle saison. Sur la rue, en divers points de New York, on va même jusqu'à distribuer des contenants de produits répulsifs aux passants.

Il faudra attendre le mois de juillet pour constater que le VNO est toujours présent au cœur de la métropole américaine et à Staten Island. Des moustiques sont retrouvés infectés. Selon les autorités, on doit s'attaquer immédiatement aux moustiques adultes qui assaillent les citadins et les promeneurs dans les parcs de la ville. On ferme même pour une nuit Central Park afin d'y pulvériser de l'insecticide. La veille de l'opération, un concert très couru est annulé.

Du côté canadien

À la fin de juillet, des oiseaux morts infectés sont trouvés à la limite nord de l'État de New York, à proximité de l'Ontario et du Québec. C'est à moins de cinquante kilomètres (Santa Clara) au sud-ouest du Québec et à quelques dizaines de kilomètres (North Tonawanda, près de Buffalo) de la frontière ontarienne que ces oiseaux ont été récupérés.

Mais déjà, au printemps 2000, le Québec et l'Ontario prennent les mesures nécessaires afin d'être prêts dans l'éventualité où le virus atteindrait le pays. Ainsi, des comités d'experts sont mis sur pied, représentant divers ministères et institutions engagés dans les questions de santé, d'environnement, de faune, de sécurité publique, de communications et de recherche universitaire. Des dépliants et des messages sont diffusés dans les médias afin de joindre la population, l'informer sur les risques d'infection et les façons de se prémunir des piqûres de moustiques. On invite surtout les gens à rapporter aux services désignés la présence d'oiseaux morts sans cause apparente.

De nombreuses rencontres et des discussions ont lieu entre les responsables de la santé et les entomologistes experts des moustiques. On connaît bien, de part et d'autre, les impératifs liés à d'éventuelles atteintes à la santé humaine par le VNO ainsi que la complexité du cycle de transmission mettant en cause des oiseaux et des insectes. On est en mesure de faire face à l'arrivée du virus, mais on souhaite vivement qu'il n'y ait pas de cas d'infections chez les humains, encore moins de décès. Toutefois, on demeure réaliste ; on sait pertinemment que des animaux, tels des oiseaux qui se déplacent sur de bonnes distances et des moustiques qui s'ajustent rapidement à diverses conditions environnementales, doivent tôt ou tard être au rendez-vous! Des dispositions sont prises pour surveiller l'entrée pressentie du virus du Nil tant en Ontario qu'au Québec. De plus, devant l'utilisation imminente de moyens visant la protection personnelle contre les moustiques et la possibilité d'intervenir à plus grande échelle contre ces derniers, une évaluation des risques d'atteintes à la santé est engagée.

Au Québec, on crée un réseau d'oiseaux sentinelles répartis dans plusieurs régions, dont celles qui bordent la frontière avec les États-Unis. Des poulets sont utilisés ; des échantillons sanguins hebdomadaires prélevés sur ces derniers doivent permettre de vérifier si des anticorps au virus ont pu se développer à la suite d'une exposition à ce dernier par des piqûres de moustiques. Ce réseau n'a pas répondu aux attentes ; il est abandonné dès l'automne 2000. De plus, une attention spéciale est apportée au dépistage d'oiseaux morts, en l'occurrence les Corvidés ; les gens sont invités à communiquer aux autorités (la Société de la faune et des parcs du Québec) toute présence d'oiseaux morts ou malades. On insiste sur l'importance de ne pas manipuler de tels animaux, compte tenu des risques de contamination toujours possibles. Les oiseaux récoltés font alors l'objet d'une nécropsie. Enfin, des captures de moustiques adultes au moyen de pièges appropriés, en différents endroits du Sud du Québec, s'ajoutent à l'opération de détection du virus. Il en est de même de la surveillance effectuée dans le Sud de l'Ontario. Ce n'était pas une course pour la découverte du virus dans l'une des deux provinces, mais des dispositions à caractère urgent visant la protection de la santé humaine. D'ailleurs, déjà lors de l'entrée du VNO à New York en 1999, les entomologistes et les vétérinaires appréhendaient sa présence au Canada, compte tenu de l'association de ce virus à des animaux très mobiles.

Toutefois, il faut mentionner que, en 2000, la présence du virus du Nil aux États-Unis n'a pas été aussi manifeste qu'en 1999, l'année de son apparition. Vingt et un cas[6] humains, dont 14 dans la ville de New York, sont enregistrés, dont 2 décès, comparativement à 7 sur 62 cas d'infections l'année précédente. Au moins douze États sont maintenant touchés par le virus.

Qu'en est-il des moustiques pouvant être incriminés dans la dissémination du virus? Alors qu'en 1999 le moustique appartenant à l'espèce *Culex pipiens* était pointé comme vecteur reconnu, en 2000, plusieurs autres espèces se sont ajoutées. Elles appartiennent à des genres connus sous les noms de *Aedes*, *Anopheles*, *Culiseta*, *Ochlerotatus* et *Psorophora*. Un aussi grand nombre de genres signifie plusieurs espèces susceptibles de véhiculer le virus et de le transmettre par des piqûres. Leur reconnaissance, à la suite des captures réalisées dans les États américains touchés par le VNO, doit aider à préciser le cycle de transmission de ce dernier. Ainsi, des espèces amorceraient la transmission du virus plus tôt en saison (mai, juin, juillet), et d'autres la maintiendraient ou même l'amplifieraient jusqu'à l'automne. Certaines sont actives surtout en milieu urbain, d'autres en milieux naturels. Toutefois, l'espèce *Culex pipiens*

---

6. C'est le nombre de personnes dont l'infection au VNO a été diagnostiquée. Nombreuses sont les autres ayant subi des tests de dépistage qui se sont révélés négatifs.

semble jouer un rôle majeur dans le cycle de transmission du virus du Nil, tant en Amérique qu'ailleurs dans le monde. Il faut mentionner qu'elle pique surtout les oiseaux, mais occasionnellement des mammifères dont les humains.

Devant l'éventualité de cas humains, les autorités de la ville de New York ont pulvérisé à quelques reprises des insecticides chimiques (notamment du malathion) contre les moustiques adultes ; des produits chimiques (comme le méthoprène) et biologiques (tel le *Bti**) ont été déversés dans les égouts pluviaux, les bassins collecteurs et les plans d'eau stagnante de la ville afin d'atteindre les moustiques immatures (larves), c'est-à-dire en voie de développement. Il en a été de même dans certains États voisins dont le Connecticut. Au préalable, de l'information a été diffusée sur ces insecticides et leurs effets potentiels sur la santé humaine. Aussi, on a augmenté les messages relatifs à la protection personnelle et on a insisté sur les moyens à prendre pour éliminer les objets et les récipients domestiques qui accumulent l'eau dans laquelle les moustiques peuvent proliférer.

2001 : l'inquiétude grandit

Deux ans après l'entrée du VNO aux États-Unis, les autorités médicales américaines reconnaissent qu'il est bel et bien installé au pays ; au moins douze États s'inscrivent maintenant dans son expansion et trois ont mentionné des cas humains. Les cas d'encéphalite se font nombreux, des oiseaux morts infectés et des pools de moustiques contaminés sont rapportés. En cette année 2001, 66 cas humains sont enregistrés ; 9 personnes mourront. En réalité, l'incidence du virus sera aussi manifeste qu'en 1999. De plus, de nouveaux États, vers le sud, en seront hôtes, soit la Géorgie, la Floride, l'Alabama et la Louisiane ; ils relèvent aussi des cas humains. Par ailleurs, le virus se manifeste chez des oiseaux, des chevaux et de nombreuses espèces de moustiques dans la plupart des États concernés. Sa dissémination continue de plus belle et atteint maintenant le Sud et le Centre de l'Amérique. À la fin de l'année, deux ans après son entrée à New York, le virus rejoint déjà 32 États.

Au Québec et en Ontario, les deux provinces susceptibles d'être rapidement atteintes par le VNO, les comités mis sur pied pour sa surveillance augmentent le nombre de rencontres, intensifient les discussions et établissent leurs plans d'action respectifs. C'est l'Ontario qui inscrit le premier cas canadien d'oiseaux morts infectés, en l'occurrence un corbeau trouvé à Windsor, au sud de la province. Des moustiques sont recensés positifs. Le virus a donc «frappé» le Canada à la mi-août par l'une de ses régions les plus septentrionales. Quelques jours plus tard, c'est un geai bleu cueilli à Oakville, suivi d'autres Corvidés à Mississauga, à l'ouest de Toronto.

Au Québec, on s'attendait à son entrée, notamment par l'extrême sud-ouest. Cependant, aucune manifestation du virus n'est rapportée en 2001 et ce n'est pas par manque de vigilance dans les approches de veille. Plusieurs hôpitaux pilotes permettaient de vérifier toute manifestation suspecte d'infections pouvant être associées au virus. En plus d'un suivi des moustiques par captures au moyen de pièges attractifs, on met sur pied un système d'appels téléphoniques qui va permettre à toute personne repérant un oiseau mort ou moribond d'en faire part au service concerné, en l'occurrence SOS Braconnage, de la Société de la faune et des parcs du Québec, qui s'occupe de récupérer l'oiseau. Des consignes de sécurité sont diffusées relativement à la manipulation de tels animaux. Une attention particulière est dirigée vers les Corvidés (corbeaux, corneilles, geais) considérés dorénavant comme des indicateurs de la présence possible du VNO. Ainsi, les spécimens récoltés doivent être confiés à des spécialistes vétérinaires afin de détecter toute cause apparente de mortalité; en cas de doutes, des échantillons de tissus (reins, cerveau) sont prélevés puis acheminés au Laboratoire d'analyses microbiologiques de Santé Canada, à Winnipeg, établissement répondant aux normes de sécurité pour cette expertise de détection virale. Il est à mentionner que, certains jours, plusieurs centaines d'appels sont faits au service téléphonique retenu à cet effet.

Été 2002 : le virus revient en force

Les scientifiques américains s'attendaient à ce que le virus du Nil soit de nouveau actif, malgré les moyens de prévention prescrits aux citoyens et les répressions chimiques et biologiques engagées contre les moustiques adultes au cours des trois dernières années. Le virus ne se fait pas attendre. Jamais on n'aurait imaginé un pareil réveil, une telle manifestation, une aussi forte atteinte à la santé publique et une expansion continentale aussi grande que rapide. Plusieurs États rapportent sa présence ; c'est la Louisiane qui lance les premiers cris d'alarme. On s'attendait à ce que les moustiques prolifèrent dans ses plans d'eau, ses méandres issus du Mississippi et ses bayous. C'est effectivement le cas. Plusieurs mortalités humaines sont rapportées par les autorités médicales. L'inquiétude gagne une bonne partie de la population nord-américaine malgré les efforts remarquables consentis par les services de santé de chacun des États amenés à diagnostiquer rapidement le virus chez des patients et en dépit des consignes de protection personnelle et des luttes chimiques contre les moustiques.

Les deux provinces canadiennes qui ont déjà des plans d'action et de suivi appliquent les modalités de surveillance de la propagation du virus. On suit de près les cas d'oiseaux rapportés morts, les pools de moustiques récoltés près des lieux où des oiseaux ont été recueillis et les cas d'encéphalite enregistrés dans les hôpitaux pilotes. Au Québec, deux premières corneilles infectées sont retrouvées à Beaconsfield, dans l'ouest de l'île de Montréal. Quelques jours plus tard, des pools de moustiques sont déclarés positifs, notamment dans la municipalité de Saint-Eustache, dans les basses Laurentides, au nord de Montréal ; ce sont des moustiques appartenant à l'espèce *Coquillettidia perturbans*, typique des grands marécages avoisinant cette municipalité. C'est également pendant cet été que sont consignés, à Mississauga et Markham, près de Toronto, les premiers pools de moustiques porteurs du virus. Par ailleurs, le Manitoba et la Saskatchewan, et, vers l'est, la Nouvelle-Écosse, déclarent leurs premiers Corvidés infectés.

Fin 2002 : une réalité qui indispose

Un constat s'impose. La progression du virus du Nil et l'indice de l'émergence possible d'une épidémie sont très nets. Le virus est présent dans 44 États américains en plus de 5 provinces canadiennes. Pour la seule année 2002, les États-Unis enregistrent 4 156 cas d'infection chez les humains dont 284 décès. On estime à près de 400 000 le nombre de personnes qui auraient révélé des signes d'infection possible au VNO. Certaines régions du pays rapportent même de très fortes prévalences de moustiques infectés, soit 1/20. Les États les plus touchés pour ce qui est de la santé humaine demeurent, pour cette année, l'Illinois[7] (836 infections), suivi du Michigan (574 infections), de l'Ohio (434 infections), de l'Indiana (294 infections) et de la Louisiane (240 infections). À lui seul, l'Illinois a enregistré au-delà d'une cinquantaine de décès. Pour l'ensemble des États-Unis, la moyenne d'âge des personnes rapportées infectées en 2002 est de 55 ans (d'un bébé de 1 an à un vieillard de 99 ans); quant à l'âge moyen des personnes décédées vraisemblablement de suites associées au VNO, il s'établit à 78 ans.

Selon certains chercheurs, depuis son entrée récente en Amérique, le virus se serait déjà modifié en une nouvelle souche ou variété; c'est cette dernière qui se serait manifestée dans les États bordant les Grands Lacs. Cette souche serait beaucoup plus virulente que celles (il en existe plusieurs) qui se trouvent en Afrique, en Asie et en Europe. Les taux de mortalité et l'importance des séquelles suivant la maladie laissent supposer un potentiel de changement important dans la composition biochimique du virus; on connaît mal sa capacité à muter et les conséquences d'une telle variabilité sur la santé humaine et animale, d'où l'extrême vigilance consacrée à sa présence et à son expansion territoriale.

Le 6 septembre, un premier cas humain est rapporté dans l'État de la Californie, révélant cette fois l'extension du virus vers l'ouest du continent. Le circuit de propagation de la maladie

---

7. Lors d'une épidémie d'encéphalite de Saint-Louis en 1975, ce même État était encore en tête des infections (578 cas, soit le quart de l'infection du pays, dont 47 décès).

semble en nette progression. L'étendue de la maladie conduit les autorités médicales américaines à la qualifier d'«*émergente* et d'*épidémique*», un tel statut exprimant bien les risques que de nombreuses autres personnes en soient touchées. Plus au sud, le VNO aura atteint, à la fin de 2002, les Antilles et les Caraïbes, et certaines régions d'Amérique centrale dont le Mexique et le Costa Rica. Sa présence confirmée en Amérique du Sud et ses conséquences sur la santé humaine devraient être annoncées incessamment!

Il apparaît opportun, pour mieux saisir l'intensité de l'action du virus du Nil, d'ajouter que plus de 14 700 chevaux ont été rapportés positifs à la présence du virus; près de la moitié sont morts de l'agent viral ou par euthanasie. Le virus a incommodé ou tué de plus des dizaines de milliers d'oiseaux, plusieurs autres sortes d'animaux, dont des écureuils et des cerfs, et même un phoque gardé en captivité. Constat sidérant, un éleveur de l'État de la Floride a perdu plus du tiers de son cheptel d'alligators des suites d'une infection au VNO. C'est dire qu'il n'y a pas que les animaux à sang chaud (oiseaux, mammifères) qui sont touchés, des animaux à sang froid peuvent l'être également.

Ainsi, au Canada, à la fin de l'été 2002, l'Ontario enregistre le premier cas humain canadien infecté au VNO; la personne en serait décédée, mais après avoir contracté la maladie lors d'un séjour aux États-Unis. Dans les jours suivants, deux autres mentions d'infection humaine ont été rapportées dans cette province. Au Québec, trois premiers cas humains sont confirmés durant la même période; ils proviennent de la grande région de Montréal: une femme de 49 ans et deux hommes âgés de 72 et 83 ans. Alors que les deux premiers ont récupéré, celui de 83 ans est mort d'une insuffisance pulmonaire après qu'une encéphalite virale ait été diagnostiquée. Il est à remarquer que les trois personnes infectées étaient ferventes d'activités de plein air. Plus tard, en début d'automne, on annonce cinq autres cas humains confirmés pour la région montréalaise. À l'hiver 2003, le gouvernement québécois annonce une seconde mortalité des suites du VNO et 17 cas confirmés de contamination. Dans la province voisine de l'Ontario, plus de 300 personnes sont rapportées positives et près d'une centaine demeurent suspectées ; 18 personnes meurent des conséquences virales de 2002.

Au Québec, quelque 1 280 Corvidés sont récoltés en 2002 ; 693 sont soumis à des analyses de détection du virus. Des spécimens d'autres espèces d'oiseaux sont aussi expertisés. En tout, 139 spécimens sont porteurs du virus du Nil. Ils sont surtout de la grande région de Montréal ; toutefois, certains viennent de régions situées de part et d'autre de la vallée du Saint-Laurent, atteignant vers l'est la Côte-Nord et la limite ouest de la péninsule gaspésienne, au sud, la Beauce et, vers le nord du Québec, la région de l'Abitibi. En plus des Corvidés, au moins douze autres espèces d'oiseaux, dont plusieurs rapaces, se sont ajoutées à la liste des oiseaux infectés. Ainsi, à la fin de l'automne 2002 et à la lumière des analyses effectuées sur la faune aviaire, la présence du VNO s'étend, à partir de la région de Montréal, dans un rayon de près de 1 000 kilomètres tant vers l'est que vers le nord.

Toujours au Québec, les premiers maringouins contaminés par le virus sont enregistrés. Les espèces suivantes semblent particulièrement exposées : *Aedes vexans, Anopheles punctipennis, Culex pipiens* et *Culex restuans* (ces deux dernières sont considérées ensemble dans les échantillons, mais chacune d'elles est susceptible d'être porteuse du virus), *Ochlerotatus canadensis* et *Coquillettidia perturbans*. Par ailleurs, des quantités importantes de larves de *Aedes japonicus*, espèce nouvellement entrée en Amérique et porteuse reconnue du virus du Nil, sont enregistrées particulièrement dans des puisards. Cette année, 3 600 pools de maringouins (chaque pool pouvant renfermer jusqu'à 50 individus) représentant plus d'une vingtaine d'espèces auront été soumis à la détection virale ; de ce lot, 60 se sont révélés positifs. Il est à remarquer, par rapport aux relevés des oiseaux, que les maringouins rapportés porteurs du VNO se retrouvent jusqu'à ce jour plutôt dans la grande région de Montréal, exception faite d'un pool provenant de la région du Centre-du-Québec, à 130 kilomètres à l'est de Montréal et à 40 kilomètres au sud de Trois-Rivières.

Enfin, en 2002 en Amérique du Nord, on tient les preuves que plusieurs animaux familiers peuvent souffrir du virus et en mourir; c'est le cas, entre autres, du cheval, de l'écureuil gris, du tamia, du chien, du chat, du lapin et d'oiseaux de basse-cour.

Un virus bien en place!

La propagation aussi rapide du virus sur le continent nord-américain commence à trouver certaines explications. On croit que la grande mobilité de certaines espèces d'oiseaux, notamment dans leurs déplacements printaniers, a permis au virus de s'étendre tant vers le sud des États-Unis que vers le nord, de même que dans une bonne partie du Canada. On constate aussi que le nombre d'espèces de maringouins pouvant porter le virus semble de plus en plus élevé. Au Québec seulement, au moins six espèces sont confirmées porteuses; d'autres seraient sur le point de l'être. D'ailleurs, en Amérique seulement, on s'attend à ce que plus d'une quarantaine d'espèces soient possiblement impliquées dans la transmission du virus. Parmi elles, quelques-unes jouent le rôle de vecteurs efficaces ou primaires; d'autres, probablement la plupart, le véhiculent de façon occasionnelle par leurs piqûres (vecteurs passerelles). De plus, des relevés sur le terrain et des analyses en laboratoire ont conclu que le virus peut se retrouver chez au moins 150 espèces d'oiseaux, peut-être même 200, en plus de nombreux mammifères et des reptiles lui servant en quelque sorte de réservoirs; parmi ces derniers, des animaux gardés en captivité se sont révélés touchés: mouton, lama, cerf, caribou, loup (race commune et race arctique), rhinocéros, éléphant, macaque, lémur, alligator. Ainsi, de ces nombreux animaux pouvant être touchés, certains individus réussiront à combattre le virus, d'autres non.

Le virus du Nil occidental est donc bien installé en Amérique et son expansion loin d'être terminée à l'intérieur d'un régime climatique aux limites frontalières imprévisibles!

Craintes fondées

En période de veille épidémiologique, beaucoup de questions et d'inquiétudes surgissent sur l'étendue géographique potentiellement couverte par tout agent pathogène. Au début de l'automne 2002, les autorités américaines redoutent certaines situations difficiles, surtout à la suite des nombreuses mortalités humaines enregistrées depuis le début de l'année. La transmission vérifiée du VNO par des dons d'organes (4 cas) et de transfusions sanguines (23 cas) figure dorénavant dans les craintes appréhendées; d'ailleurs, tant aux États-Unis qu'au Canada, on n'hésite pas à rappeler et à retirer certains produits sanguins congelés susceptibles d'avoir été contaminés par le virus, après confirmation de transmissions chez des patients. Devant cette nouvelle inquiétude, il n'en faut pas plus pour qu'on soupçonne, puis confirme aussi une possibilité de propagation virale par allaitement chez un nourrisson dont la mère a montré des symptômes à la suite de transfusions sanguines au moment de l'accouchement. Dès lors, on tente de connaître si l'enfant est en mesure de développer des anticorps le soustrayant aux effets du VNO.

L'année 2003 est celle de la vérification et de la confirmation d'une présence bien établie du virus en Amérique. En réalité, d'une année à l'autre l'espoir de ne plus détecter celui-ci tant chez les oiseaux que chez les humains renaît; il semble cependant bien ancré! À la fin de cette année, près de 9 200 personnes ont consulté un médecin et ont été déclarées infectées aux États-Unis; quelque 220 en sont mortes. Les États les plus touchés sont le Colorado, le Dakota du Sud, le Nebraska et le Texas. De plus, au-delà de 600 cas d'infection ont été diagnostiqués par des tests sur des échantillons de sang provenant de donneurs, mesure qui aurait permis de protéger des milliers de vies humaines. Par ailleurs, dans l'État du Colorado, une vingtaine de personnes ont manifesté des symptômes de paralysie rappelant ceux de la poliomyélite. Aussi, plus de 5 000 pools de moustiques dans 38 États, près de 9 000 oiseaux dans 42 États et au moins 2 200 chevaux dans 36 États ont été rapportés infectés. Le CDC d'Atlanta continue de soutenir que le virus du Nil est toujours bien présent dans le pays; quelque 400000 personnes auraient été infectées au cours de 2003, mais sans avoir révélé de symptômes apparents. De plus, ce sont 1 000 cas de donneurs sanguins qui auraient été déclarés positifs au VNO au cours de cette année.

Au Canada, l'alerte a été donnée par la Saskatchewan où quelque 790 (le nombre pourrait atteindre 1 000) cas humains d'infection ont été rapportés; peut-être l'existence d'un corridor de déplacements d'oiseaux entre les États américains mentionnés ci-dessus et le Sud de cette province pourrait expliquer en partie une telle problématique. D'ailleurs, plusieurs cas humains ont été signalés dans cet axe géographique de la province canadienne. De plus, dans cette dernière, le VNO a été détecté dans de nombreux échantillons sanguins par une technique nouvellement utilisée cette année. Au Canada, à la fin de l'année 2003, 10 décès attribuables au virus du Nil ont été enregistrés dont 6 en Saskatchewan. Aussi, 5 provinces avaient rapporté la présence du virus et quelque 1400 humains auraient été affectés (cas probables et confirmés confondus): Alberta (270), Saskatchewan (792), Manitoba (141), Québec (17), Ontario (89). Quelques cas ont été enregistrés au Nouveau-Brunswick (1), en Nouvelle-Écosse (2), en Colombie-Britannique (20) et sur le territoire du Yukon (1), mais ils seraient considérés par les autorités des services de santé comme des cas contractés lors de voyages à l'extérieur des régions concernées. Toutefois, il faut signaler que les infections rapportées pouvaient se limiter à des fièvres ou, dans d'autres cas, elles causaient des problèmes neurologiques importants. Il est à considérer toutefois que, en Alberta, 70% des cas d'infection au VNO touchaient des gens de 30 à 59 ans.

Il est opportun de mentionner que dans les Prairies (*grassland*) de l'Ouest du Canada (Manitoba, Saskatchewan, Alberta), c'est l'espèce *Culex tarsalis* qui est le vecteur principal du VNO; les problèmes soulevés se retrouvent en zones rurales alors que dans le Centre et le Nord-Est de l'Amérique, ils sont plutôt urbains ou suburbains, la principale espèce impliquée étant un autre *Culex*, soit *pipiens*. Toujours dans l'Ouest du pays, une inquiétude a surgi quant à l'imminence de l'arrivée du virus du Nil en Colombie-Britannique et surtout quant à son lieu d'entrée; arrivera-t-il par les Rocheuses canadiennes ou par les États américains voisins?

Aux États-Unis comme dans la plupart des provinces canadiennes où l'on pressent la présence du VNO, les signalements d'oiseaux morts s'intensifient ainsi que les captures de moustiques susceptibles de véhiculer le virus. De plus, un suivi serré de symptômes humains associés à ce dernier est réalisé dans les centres hospitaliers. Des campagnes de lutte contre des populations de moustiques sont organisées. Par exemple, au Québec, des traitements préventifs au *Bti* sont engagés dans la région de Montréal dès le mois de mai; aussi, quelque 150 000 puisards (certains visités jusqu'à trois fois) de la région de la métropole ont fait l'objet de traitements à l'aide d'un insecticide (le méthoprène) visant les larves de l'espèce *Culex pipiens*. De plus, une attention particulière est accordée à la recherche d'indicateurs du degré d'infection pouvant marquer notamment les moustiques et les oiseaux. Voilà autant de démarches visant à contrecarrer la dissémination du virus récemment établi en Amérique, mais qui continue de soulever l'inquiétude tant de la population en général que des autorités scientifiques et médicales.

Aucune indication ne permet de croire en une diminution prochaine des cas d'infections tout au moins des oiseaux et des moustiques, encore moins en une disparition à long terme du virus du Nil de l'Amérique du Nord. Malgré une baisse en 2000 et 2001, le VNO est revenu en force dans quatre États de l'Est des États-Unis (Connecticut, New York, New Jersey et Pennsylvanie), passant de 19 cas d'infection en 2000 à près de 300 en 2003; quelques décès y furent enregistrés. Aux États-Unis tout comme dans la plupart des provinces canadiennes, les mesures actuellement prises par les gouvernements devraient diminuer les cas d'infection humaine et surtout rassurer la population face à ce virus.

Pouvons-nous associer la progression du VNO au réchauffement climatique?

Rien n'a été prouvé jusqu'à maintenant. Beaucoup de plantes semblent s'étendre à de nouveaux territoires, souvent plus nordiques. On constate aussi des mouvements et des dispersions plus larges chez de nombreux animaux. Par exemple, des insectes profitent de conditions climatiques favorables pour assurer leur survie et celle de leur espèce; plusieurs nouvelles espèces sont apparues en Amérique ou ont progressé de régions méridionales vers le nord. Les conditions climatiques plus douces ont pour effet de favoriser l'élargissement du territoire vital de nombreuses espèces, d'autant plus que leur succès sur le plan de la reproduction (plus d'individus) nécessite parfois un plus grand territoire.

Le virus du Nil occidental a trouvé en terre d'Amérique les éléments propices à son expansion territoriale, des groupes d'oiseaux réservoirs et des moustiques vecteurs pouvant le transmettre à divers animaux et, de façon tout à fait exceptionnelle, à des humains. Rien n'indique pour le moment que les conditions climatiques auraient une incidence directe sur l'expansion du VNO.

Une grande question surgit: avec les cas d'infection signalés en 2003, qu'auraient été les bilans enregistrés dans les quatre États mentionnés ci-dessus et dans les provinces de l'Ontario et du Québec si des traitements préventifs contre les moustiques n'avaient pas été effectués au cours de la saison estivale? Les prochaines années en diront beaucoup sur les cycles de transmission du virus du Nil. Il devient important que des travaux de recherche soient engagés ou poursuivis sur le sujet. Les questions demeurent nombreuses. Par exemple, le VNO aurait-il un comportement rappelant celui du virus de Saint-Louis avec lequel il possède des affinités géniques? Ce dernier s'est montré à effets sporadiques, c'est-à-dire qu'il disparaissait pendant de longues périodes avant de réapparaître; est-ce l'effet d'une immunité acquise tant chez les animaux réservoirs que chez les humains? Aussi, quelle importance doit-on accorder à des gîtes artificiels tels les puisards et les corridors souterrains comme lieux de refuge d'espèces de moustiques potentiellement porteuses du virus? Beaucoup de données manquent; un champ de recherche aux créneaux nombreux s'ouvre aux scientifiques de plusieurs disciplines.

Regard ailleurs

Le virus du Nil occidental a été isolé pour la première fois en 1937 par des scientifiques d'un laboratoire d'analyses micro-biologiques à Entebbe, en Ouganda; sa dénomination découle du fait qu'il fut découvert dans une province de ce pays enclavé d'Afrique, le Haut-Nil, traversée par ce grand fleuve.

Bien que le virus ait fait des victimes dans l'Est de l'Afrique où il fut découvert, ses premières manifestations épidémiologiques furent enregistrées surtout en Israël, en 1951, 1954 et 1957. En 1974, dans la région nord de la province du Cap, en Afrique du Sud, une importante épidémie devait sévir; une enquête révéla que près de 55% de la population humaine avait été infectée. Cette épidémie devait survenir en même temps qu'une infection par un autre virus (le virus de Sindbis) ayant possiblement affaibli les gens face au VNO. D'autres épidémies ont surgi dans le Sud de la France en 1962, en Algérie en 1994, en Roumanie en 1996 et 1997, en Israël en 1998 et 2000, dans le Centre et le Sud de la Russie en 1999, puis au Congo (Zaïre) en 2000.

Parallèlement à toutes ces contagions, de nombreuses mor-talités d'oiseaux ont toujours été constatées, affectant souvent des élevages. En France, plus particulièrement en Camargue, une nouvelle éclosion de cas d'encéphalites chez les chevaux, mais aussi chez des humains, est enregistrée en 2000; cette fois, les oiseaux n'ont pas semblé particulièrement affectés. Des traite-ments préventifs aux insecticides biologiques contre des larves de maringouins ont été appliqués. En fait, on a assisté à une répétition de l'épidémie de 1962-1964 au même endroit, alors que des traitements aux insecticides chimiques avaient été retenus notamment contre le moustique *Culex modestus*.

Aujourd'hui, on soupçonne la présence du VNO sur la presque totalité du continent africain; il l'est dans plusieurs pays asiatiques (Inde, Pakistan, Bornéo, Philippines, Thaïlande), en Turquie, en Afghanistan, en Iran et en Irak, dans une bonne partie de l'Europe et dans la portion sud de la Russie. L'Amérique du Nord s'ajoute à cette répartition mondiale, de même que les Antilles et les Caraïbes, et une partie de l'Amérique centrale. L'Amérique du Sud devrait figurer bientôt à la liste des pays atteints par le VNO, puisque les conditions d'implantation de celui-ci pourraient s'y retrouver.

Chapitre 2

Regard attentionné sur des insectes déjà méprisés

Comme il a déjà été mentionné, des insectes sont en grande partie responsables de la propagation du virus du Nil en Amérique et surtout, par leurs piqûres, de l'apparition de problèmes de santé chez les humains et de nombreux animaux. Traiter d'insectes dans leur biologie et leur comportement peut sembler audacieux, compte tenu que ces animaux, trop souvent nommés *bibittes*, ne sont que rarement considérés par l'ensemble de la population. Toutefois, afin de bien saisir toute la portée de leur action dans le succès rencontré par le VNO, il convient d'inviter le lecteur dans cet univers exceptionnel des insectes. Mais pas tous les insectes. Un groupe précis, celui des moustiques, bien représenté pendant la belle saison et qui est riche d'anecdotes liées à sa biologie et à son comportement.

Des animaux communs aux valeurs écologiques

Les insectes en général ne sont guère appréciés par la très grande majorité des gens. On les perçoit plutôt comme des êtres malsains responsables de pertes économiques importantes, provoquant des nuisances ou même des indispositions par leur simple présence. On se demande toujours quelle peut être leur utilité. Par ailleurs, certains sont mieux perçus, bien qu'ils soient entourés de mystères. C'est le cas de la coccinelle ou *bête à Bon Dieu* qui joue un rôle précieux en s'attaquant aux doryphores ou *bêtes à patates,* ou aux pucerons présents sur les plants des potagers. C'est aussi le cas des papillons, surtout ceux de jour, car ils sont colorés, qui soulèvent l'émerveillement et touchent les cordes sensibles de chacun; par contre, leurs chenilles sont plutôt repoussantes. Quant aux sauterelles et aux criquets, ils demeurent associés à des destructions spectaculaires de cultures; bien qu'il y eut au Québec de rares invasions de champs cultivés (le «festival de la sauterelle[8]» de Saint-Étienne-des-Grès, au nord de Trois-Rivières, a su rappeler un tel événement au début du 20e siècle), ce sont celles qui ont frappé des pays africains ou l'Ouest de l'Amérique qui leur ont conféré un tel statut de pestes.

Dans l'histoire de l'humanité, des peuples tels les anciens Égyptiens, les Incas et les Amérindiens vouaient à des insectes un immense respect, pour ne pas dire une dévotion. On leur accordait des privilèges médicinaux, simplement magiques ou même divins; ce fut le cas notamment des scarabées qui, chez des peuples d'Amérique centrale, demeurent toujours un centre d'intérêt communautaire. Aussi, combien d'insectes dans plusieurs parties du monde ont, par leurs productions, contribué à la vie des gens; rappelons certaines chenilles pour leur soie, les abeilles pour leur miel, les cochenilles pour leurs pigments et certaines larves de Coléoptères comme nourriture.

Des écrits récents et de nombreux reportages à la télévision informent sur le monde des insectes tout en soulignant leurs rôles dans l'équilibre écologique de la planète. Beaucoup d'espèces sont considérées comme des partenaires à l'agriculture ou à la foresterie, notamment celles qui agissent comme ennemis et prédateurs d'autres insectes portant préjudice aux activités humaines. De plus, l'inquiétude devant l'usage de pesticides contre des composantes de la nature a fait en sorte qu'on préfère les insectes *utiles* aux produits chimiques, évitant des problèmes pouvant se répercuter sur la santé publique. On commence, encore trop timidement, à percevoir les insectes comme des alliés.

Mais que dire des insectes reconnus pour les piqûres qu'ils peuvent infliger? Cette fois, on demeure perplexe devant une

---

8. Pour le plus grand nombre, il s'agit de sauterelles; pour le scientifique, ce sont surtout des criquets, insectes apparentés à ces dernières et reconnus pour leurs dommages à certaines récoltes.

quelconque utilité qu'on pourrait leur accorder. Surtout, de tels insectes sont reconnus comme pouvant être responsables de la transmission de microbes dont certains sont à l'origine de maladies tristement célèbres (paludisme par des moustiques, peste par des puces), on le sait. Pour de tels insectes, on n'hésite pas à se questionner sur leur utilité. Toutefois, il ne faut pas mettre sur un même pied des groupes d'insectes qui doivent piquer pour compléter leurs cycles vitaux et ceux qui le font pour se défendre. Dans le premier cas, il s'agit bien de moustiques ou de maringouins auxquels on associe aussi d'autres groupes se nourrissant de sang tels les mouches noires, les taons, les brûlots, certaines mouches et même les puces. L'autre cas concerne les abeilles et les guêpes. Celles-ci, lorsqu'elles sont perturbées, notamment dans leurs activités de recherche de nectars végétaux, tenteront d'éloigner l'intrus en circulant autour, puis, dans un ultime recours, en le piquant. Contrairement aux insectes suceurs de sang qui possèdent un appareil buccal adapté pour piquer, les abeilles et les guêpes ont au bout de leur abdomen un véritable dard connecté à une glande à venin qui leur permettra d'infliger une piqûre douloureuse repoussant l'animal (dont des humains) qui les aura dérangées plutôt involontairement.

Moustiques et compagnie

Les moustiques sont certainement les mieux connus et les plus méprisés parmi les insectes qui piquent. Ils appartiennent à un ordre d'insectes affichant le nom scientifique de Diptères (nom signifiant qu'ils possèdent deux ailes, alors que les autres groupes d'insectes en possèdent quatre); cet ordre renferme aussi des insectes qui ne piquent pas, comme la mouche domestique. Cependant, ceux qui sont impliqués dans des atteintes à notre... épiderme font partie des groupes suivants auxquels on accorde le statut de *famille* :

- *la famille des Culicidés* (moustiques ou maringouins, cousins en France). Véritables piqueurs, ils sont représentés par plus de 3 500 espèces dans le monde, surtout rencontrées en régions tropicales et subtropicales. Au Québec, on en répertorie 57

(75 au Canada), allant de la région sud du Saint-Laurent jusqu'en Arctique. Ils se développent dans les eaux stagnantes peu profondes, tels les marécages, les mares en forêt, les fossés riverains, mais aussi dans l'eau retenue dans divers récipients dont ceux de plastique ou de métal laissés à l'abandon ;

- *la famille des Simulidés* (simulies ou mouches noires). Elle est représentée par plus de 1 000 espèces dans le monde dont une soixantaine au Québec (110 au Canada). Ces insectes se développent dans l'eau courante des ruisseaux et des rivières peu profondes et affectionnent notamment les décharges des barrages de castors ;

- *la famille des Tabanidés* (taons, mouches à chevreuil, à orignal, à cheval ou frappe-abord). Elle comporte plus de 3 000 espèces dans le monde dont une quarantaine au Québec (132 au Canada). Ces dernières ne vivent pas directement dans l'eau ; elles convoitent les sols riches en humus et les mousses humides ;

- *la famille des Cératopogonidés* (brûlots). Elle est représentée par certainement quelques milliers d'espèces dans le monde et par au moins une centaine au Québec (près de 200 au Canada). Leur inventaire est loin d'être terminé. Ces insectes, plutôt mal connus au point de vue écologique, se développent dans les boues ou les vases et dans les matières organiques humides.

Parmi les quatre familles d'insectes mentionnées ci-dessus, seule celle des moustiques, donc les Culicidés, renferme des individus munis d'un appareil buccal permettant véritablement de piquer. Ceux des autres familles possèdent des pièces buccales adaptées pour mordre et déchirer la peau (certaines personnes croient qu'elles se font littéralement arracher un morceau de peau!) afin de faire jaillir du sang qu'ils arrivent à ingurgiter. Cependant, c'est par tradition qu'on continue à les désigner comme *insectes piqueurs*[9] . Aussi, seuls les insectes de

---

9. Quant aux puces et aux poux, ils font partie d'ordres différents (respectivement les Siphonaptères et les Anoploures); chez ces insectes sans ailes, mâles et femelles piquent pour se développer.

la famille des Culicidés ou moustiques sont considérés comme pouvant transmettre le virus du Nil occidental lorsqu'ils piquent.

Attention, femelles coquines!

Bien que les mâles possèdent aussi des pièces buccales modifiées en un tube, ce sont les femelles du maringouin qui chercheront à piquer. Pour elles, c'est une opération nécessaire à la maturation de leurs œufs; du sang obtenu, elles en tirent notamment des composantes de protéines, soit des acides aminés, qui leur permettent de compléter le développement de ces derniers. Il est important de mentionner qu'en l'absence de tout repas sanguin, une femelle arrive quand même à pondre assez d'œufs pour assurer la pérennité de son espèce. D'ailleurs, dans les régions nordiques, c'est souvent le cas, car la présence d'hôtes à piquer peut se faire rare. Quant aux mâles, tout comme les femelles au cours de leurs premiers moments de vie adulte, ils se nourriront sur des sèves et sucs végétaux; ils obtiennent ainsi les ressources énergétiques pouvant soutenir leurs activités normales de déplacement et de recherche de partenaires pour l'accouplement et la reproduction.

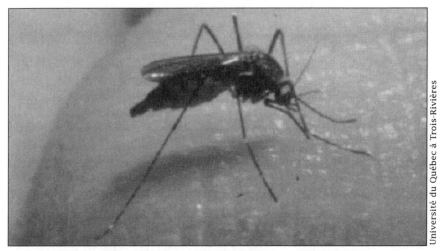

Université du Québec à Trois-Rivières

Moustique adulte femelle prélevant du sang afin de compléter la maturation de ses œufs.

Une sélection d'hôtes «privilégiés»

N'est pas piqué qui veut!

Au cours d'une existence s'étirant sur plus de 100 millions d'années, les moustiques ont élaboré des stratégies particulières qui leur ont permis de conquérir la presque totalité des continents (actuellement, seule l'Antarctique ne possède pas de lieux propices à leur accueil) et de produire pour les écosystèmes de la planète des milliards d'individus chaque année. L'une de ces stratégies est relative au choix des hôtes à piquer. En réalité, il fallait que les moustiques s'assurent d'une disponibilité de ces derniers et de la ressource sanguine immédiate, facile à récolter. Les animaux vertébrés étaient tout désignés pour garantir le succès d'une telle opération, compte tenu de la surface et du volume appréciables de leur corps, de leur lenteur à se déplacer, ou tout au moins de périodes fréquentes d'arrêts dans leurs déplacements, et évidemment d'une circulation sanguine impliquant des vaisseaux qui se présentent à fleur de peau. La modification de leur bouche en un tube capable de percer le tégument des animaux et l'apparition d'un mécanisme d'aspiration du sang se sont avérées les principales conditions les ayant conduits à la réussite de l'opération.

Parmi les vertébrés, ceux à sang chaud, c'est-à-dire dotés d'une température interne stable, devaient être retenus comme hôtes privilégiés par ces insectes. Ainsi, le sang des oiseaux et des mammifères (dont les humains) se présente comme la source nutritive sur laquelle puiseront la majorité des moustiques femelles pour assurer la maturation de leurs œufs. Plusieurs piquent les oiseaux et occasionnellement les mammifères. D'autres ne choisissent que les mammifères. Quant à l'homme, croyez-le ou non, pour le moustique, il n'est qu'une occasion qui se présente, en réalité une simple anecdote ou même un accident de parcours dans son histoire naturelle; il faut l'accepter avec humilité. En effet, le moustique se développant surtout dans les milieux plus fermés comme les forêts s'est associé depuis son

36

apparition surtout aux oiseaux et aux mammifères sauvages, en raison de leur disponibilité immédiate à proximité de leurs lieux de croissance. Toutefois, plusieurs espèces de maringouins se retrouvent en milieux plus ouverts rencontrant en ces endroits des rassemblements importants d'oiseaux et des troupeaux de mammifères, parfois domestiques. Il est évident qu'avec la venue des primates, il y a quelques millions d'années, et de l'homme, un peu plus récemment, la forêt était toujours le lieu de prédilection de ces insectes. Ce fut aussi l'environnement convoité par les hominidés puisque des endroits plus sécuritaires s'offraient à eux devant les intempéries, les grands fauves et divers autres prédateurs. Aussi, l'occupation d'abris naturels telles des grottes devait-elle favoriser une certaine cohabitation humains-moustiques d'où, pour ces derniers, une disponibilité occasionnelle d'hôtes en des milieux humides favorables à leur survie. Plus tard, la construction d'habitations ainsi que le groupement volontaire d'animaux à domestiquer devaient amplifier l'attraction des moustiques femelles vers ces lieux de prédilection pour compléter leurs cycles vitaux.

D'autres animaux vertébrés sont aussi devenus des hôtes de choix pour certaines espèces de moustiques. Les amphibiens, donc les grenouilles, les crapauds, les salamandres, vivant dans leur environnement s'avéraient d'une grande accessibilité pour eux. Toutefois, le grand nombre d'espèces de moustiques qui devaient voir le jour avec le temps a fait en sorte qu'elles durent se concurrencer entre elles pour leur territoire vital et engager les opérations leur permettant de réaliser toutes leurs fonctions écologiques et, conséquemment, localiser et piquer des hôtes. Ainsi, les tortues vivant près des plans d'eau ainsi que d'autres reptiles tels les serpents, les couleuvres et, dans les pays plus chauds, les lézards, les alligators et les crocodiles allaient supporter certaines espèces de moustiques, notamment en prêtant les fines membranes de leurs articulations et celles composant ou entourant leurs yeux, leurs narines et leur bouche comme sites des piqûres.

Insectes négligés, mais toujours préoccupants

Depuis très longtemps, les maringouins préoccupent les communautés humaines. Rarement on s'est arrêté à leurs conditions de vie et aux rôles qu'ils assument dans le fonctionnement de la biosphère. Ce n'est que récemment qu'on leur porte intérêt, et ce, surtout dans le cadre d'atteintes à la quiétude et à la santé des gens.

À l'origine de problèmes de nuisance majeurs, les maringouins conduisent les dirigeants de l'ancienne Égypte à se questionner sur leur abondance dans les marécages longeant le Nil. On établit une association possible entre la présence de ces insectes et certaines maladies mortelles qui sévissent alors et connues aujourd'hui sous les noms de *paludisme* et *fièvre jaune*. On s'emploie même à recouvrir les marécages avec des huiles, créant ainsi un écran infranchissable pour les moustiques qui tentent d'émerger de ces milieux. De telles constatations peuvent aussi être tirées de textes anciens d'Asie et d'Afrique. De l'autre côté de l'Atlantique, en Amérique centrale et en Amérique du Sud, les Amérindiens utilisent déjà à l'arrivée des Blancs la quinine extraite de végétaux pour soulager les poussées de fièvre paludique ou de malaria.

L'issue de plusieurs batailles célèbres est associée à des maladies mortelles transmises par des moustiques. Ainsi, les armées de Napoléon envoyées dans l'île de Saint-Domingue (aujourd'hui Haïti) pour mater les soulèvements populaires sont décimées par la fièvre jaune et retournées en France avec moins de 20% de leur effectif. Aussi, les troupes américaines sudistes, dans la guerre de Sécession (1861-1865), sont affectées par les agressions des moustiques et les maladies qui découlent de leurs piqûres. Même les forces armées séjournant dans le Pacifique au cours de la Deuxième Guerre mondiale (1939-1945) sont grandement touchées par le paludisme.

Enfin, plus près de nous, les colonisateurs ont eu à affronter les insectes piqueurs ; le rappel des problèmes engendrés est éloquent dans de nombreux écrits des missionnaires, dans les rapports des gestionnaires de l'époque ainsi que dans les récits d'expéditions, les contes et les chansons[10]. Selon Pierre Boucher, premier naturaliste de la Nouvelle-France et gouverneur de Trois-Rivières au 17e siècle, ces insectes constituent l'un des périls majeurs (dont le serpent à sonnettes, le froid et les... Indiens) auxquels faisait face tout Européen désireux de venir s'installer sur le nouveau continent. Au 19e siècle, quelques cas de paludisme et de fièvre jaune sont rapportés à Montréal et à Québec ; des liens sont établis avec l'arrivée de bateaux en provenance des Antilles où ces maladies sévissent. Enfin, rappelons qu'une épidémie de paludisme touche de façon catastrophique la main-d'œuvre employée à la construction du canal Rideau, en Ontario, dans la première partie du 19e siècle (à Ottawa, une plaque commémore d'ailleurs ce fait).

Avec l'émergence de nouvelles maladies et à la suite de l'expansion exagérée des banlieues, la question des moustiques, particulièrement nombreux dans et autour des plans d'eau de faible profondeur, a pris beaucoup d'importance dans les projets d'aménagements urbains et dans les dispositions visant la sauvegarde des habitats fauniques. Une meilleure vision des composantes et du fonctionnement de l'environnement combinée aux intérêts économiques et au mieux-être des citoyens est à l'origine de dispositions légales liées à une utilisation réfléchie de l'espace et au maintien de la diversité végétale et animale. On demeure conscient des problèmes pouvant surgir en raison de la présence de ces insectes pendant les activités humaines (jardinage, construction, sylviculture, plein air) et surtout des risques de transmission de maladies qui peuvent leur être associées.

---

10. Pour plus d'information : Jean-Pierre Bourassa, *Le moustique, par solidarité écologique,* Montréal, Éditions du Boréal, 2000, 240 p.

Puisque des oiseaux peuvent être infectés par le VNO, doit-on cesser de les attirer par des mangeoires, des bassins et des cabanes?

Les oiseaux ne participent pas seulement à la délectation des gens, mais aussi à l'équilibre de la nature. Leur présence ne sera que salutaire à notre environnement immédiat, même urbain. De plus, leur diversité est telle que leurs visites conduisent souvent à la découverte de comportements et d'habitudes de vie les plus souvent fascinants qui ne laissent aucun observateur indifférent.

En évitant d'accumuler les objets récipients pouvant collecter l'eau recherchée par les moustiques, les oiseaux attirés par les mangeoires, les bassins et les cabanes risquent peu de se faire piquer par des moustiques porteurs du virus. Quant aux corbeaux, aux corneilles et aux geais, ils ne sont pas reconnus comme pouvant être plus piqués que d'autres oiseaux. Toutefois, ils demeurent plus sensibles à l'infection par le virus. Leur résistance paraît faible, ce qui peut les faire mourir rapidement. Une présence nombreuse d'autres groupes d'oiseaux peut faire en sorte que les Corvidés déserteront notre environnement résidentiel. Ainsi, il ne faudrait pas se priver du plaisir d'attirer et d'observer des oiseaux.

Un regard nouveau sur les artisans d'un problème

Depuis son entrée récente en Amérique, il est étonnant de constater la vitesse avec laquelle le VNO s'est répandu sur une partie importante du continent, tant vers le nord que vers le sud. Son apparition dans une ville aussi peuplée que New York a eu pour effet d'éveiller les gens à une réalité à laquelle ils n'avaient jamais fait face ou cru devoir affronter un jour. Non seulement les autorités médicales devaient réagir à ce nouveau problème, mais aussi les spécialistes de l'environnement ont dû composer avec le spectre d'une utilisation toujours possible d'insecticides qui déjà suscitait dans la population une crainte fondée de risques encore plus terrifiants pour la santé. Il fallait aussi considérer, dans les analyses à réaliser et dans les décisions à prendre, d'autres acteurs inattendus, soit les oiseaux porteurs du virus et de nombreux mammifères pouvant être infectés.

40

Plus que jamais, en Amérique du Nord, les moustiques attirent l'attention. On continue à les balayer d'un simple revers de la main, mais on les craint. Par leurs piqûres, des espèces demeurent inquiétantes pour les personnes âgées comme pour de plus jeunes. On exige que des programmes de surveillance soient mis sur pied afin qu'on puisse appliquer des mesures appropriées si des cas d'atteintes graves à la santé humaines survenaient. Plus que jamais, les médias accueillent avec beaucoup plus de sérieux des études menées sur de tels insectes. Les biologistes entomologistes sont sollicités, ce qui s'avère une excellente occasion pour la promotion des connaissances acquises pendant des décennies sur ces insectes peu considérés jusqu'alors. Le public est à même de mieux saisir les grands principes qui régissent son environnement immédiat et ceux des autres animaux.

Pour s'y retrouver dans le jargon des scientifiques

Il existe sur la planète au-delà de 1 500 000 espèces végétales et animales dûment inventoriées et reconnues. Chacune d'elles a reçu un nom scientifique latin, cette langue ancienne étant employée de façon conventionnelle depuis plus de 300 ans dans l'appellation des êtres vivants. Afin de s'y retrouver, il est nécessaire que les biologistes puissent les désigner par des noms pouvant être compris et utilisés par la communauté scientifique mondiale. Sinon, employer des noms différents désignant une même plante ou un même animal créerait une véritable confusion. Lorsqu'on découvre une nouvelle espèce, celle-ci fait l'objet d'une multitude de vérifications par des spécialistes du groupe végétal ou animal en question. Rien n'est laissé au hasard dans ce domaine. La confirmation de la découverte d'une espèce nouvelle demeure longue et minutieuse. Ainsi, la limace que vous observez dans votre jardin et la mauvaise herbe qui apparaît entre les dalles de votre patio possèdent chacune un nom reconnu des scientifiques, à moins que vous ayez la chance d'être l'hôte d'une nouvelle espèce!

On emploie le mot *espèce* afin de définir un ensemble d'individus semblables au point de vue morphologique*, qui partagent les mêmes événements au cours de leur vie et, surtout, qui sont en mesure de se reproduire entre eux et de donner des rejetons, eux-mêmes fertiles et semblables. Ainsi, l'ours noir d'Amérique constitue une espèce à part entière ; son nom est *Ursus americanus*. De son côté, l'érable à sucre des régions tempérées se nomme *Acer saccharum*. Il est à remarquer que deux noms sont toujours retenus dans de telles désignations. En réalité, le premier, comme *Acer*, permet d'insérer cet érable dans un groupe plus large mais partageant aussi des caractéristiques plus générales que celles de l'espèce ; c'est le nom du genre auquel appartient *saccharum*, dont notre érable à sucre, mais aussi d'autres érables d'espèces différentes (p. ex. : *Acer rubrum*, l'érable rouge). Toutefois, dans l'usage courant, les deux noms sont combinés pour désigner l'animal ou le végétal concerné. En biologie, on reconnaît que seule l'espèce existe ; le nom du genre demeure artificiel, puisqu'il sert à distinguer un groupe d'espèces partageant de mêmes grandes caractéristiques de forme, de taille, de comportement, etc.

Dans le monde des moustiques ou maringouins, pour ceux notamment impliqués dans la transmission du VNO, on emploiera souvent les noms de genres suivants : *Culex*, *Ochlerotatus*, *Aedes*, *Coquillettidia*, *Anopheles* ; des noms d'espèces suivront, ce qui donnera par exemple *Culex pipiens*, *Ochlerotatus japonicus*, *Aedes vexans*, *Coquillettidia perturbans*, *Anopheles punctipennis*. Ces noms latins sont le plus souvent évocateurs de lieux, de formes, de couleurs et même d'effets émotifs, comme *perturbans* pour l'une d'elles.

Enfin, un exemple courant, la mouche domestique qu'on connaît partout dans le monde, est désignée par *Musca domestica*. Il existe plusieurs mouches du genre *Musca*, mais une seule espèce est appelée *domestica*. Si des textes en langue russe, anglaise, allemande ou française font état de cette espèce et du genre à laquelle elle appartient, ils emploient tous les deux mêmes noms.

Chapitre 3

Des milieux de vie négligés, maintenant considérés

D ans le suivi épidémiologique consacré à l'expansion du virus du Nil en Amérique, on a constaté que la qualité de l'environnement comptait pour beaucoup. Des milieux particuliers issus d'activités humaines sont devenus préalables à l'apparition et à la prolifération de moustiques, vecteurs du virus. C'est donc vers des milieux de vie jusqu'à ce jour négligés que se tournent les autorités des services de santé publics et les scientifiques afin de mieux saisir les facteurs déterminant le cycle de transmission du VNO.

L'eau, essentielle

On reconnaît l'eau comme la composante majeure de tous les êtres vivants. Elle est présente dans leur corps, indispensable à son fonctionnement, et constitue, pour beaucoup de plantes et d'animaux, le milieu dans lequel ceux-ci se développent et évoluent.

L'eau apparaît comme fondamentale au déroulement de chacune de leurs étapes de vie. Jamais n'a-t-on remis en question son omniprésence et son importance. L'eau permet aux êtres vivants de croître, d'accomplir leurs fonctions vitales et même de l'utiliser pour expulser les déchets issus de leur métabolisme*. Bien que de nombreux groupes d'animaux et de végétaux aient quitté, il y a quelque 400 millions d'années, l'eau comme milieu de vie immédiat (marécages, océans, etc.), ils y sont pour la grande majorité demeurés liés à un moment ou à un autre de leur cycle vital. Le groupe le plus évident demeure celui des amphibiens dont les œufs éclosent dans l'eau ; les jeunes s'y développent jusqu'à la quitter plutôt temporairement en devenant adultes. Ils demeurent près des plans d'eau qui les ont vu naître pour revenir y pondre afin de perpétuer l'espèce à laquelle ils appartiennent.

Les insectes ne font pas bande à part!

Bien qu'il ne s'agisse pas ici de faire une histoire (qui est fascinante, soit dit en passant!) de l'origine des insectes, il est bon de mentionner que des hypothèses fort sérieuses soutiennent que ces derniers proviennent d'un environnement aquatique. Ils descendraient alors d'organismes marins qui possèdent encore des descendants connus sous le nom de *crustacés** dont les représentants les plus importants pour nous sont les écrevisses et les homards. Toutefois, les insectes ont dû développer des modes de vie adaptés aux milieux terrestres; ainsi, par exemple, leurs déplacements sont assurés par trois paires de pattes et des ailes, et leur respiration par un système tubulaire interne (ou trachée) tout à fait unique qui fait appel à une série de canaux établissant le lien entre le milieu aérien et l'intérieur de leur corps.

Ce qui est étonnant, malgré une très grande diversité qui dépasse le million d'espèces[11], c'est que beaucoup d'insectes sont demeurés liés à l'environnement aquatique. On connaît bien les libellules et les demoiselles observées maintes fois près des étangs, des lacs et des rivières; celles-ci pondent leurs œufs dans l'eau, s'y développent, se transforment pour donner des adultes qui émergent de ces milieux et vivent le temps nécessaire pour se reproduire. Il en est de même pour les éphémères qui, à leur sortie des plans d'eau, forment de véritables nuées qui envahissent parfois les voies cyclables et les façades des maisons bordant les cours d'eau. On les désigne alors sous le nom de *mannes*; leur période de vie adulte varie de quelques heures à quelques jours selon les espèces, en réalité le temps de s'accoupler et se reproduire.

---

11. Un chiffre conservateur qui ne représenterait que le cinquième des espèces d'insectes de la planète.

44

Les moustiques sont aussi considérés comme des insectes aquatiques. Ils y pondent, s'y développent, en émergent, demeurent associés à leur plan d'eau d'origine ou s'en éloignent, mais reviennent tôt ou tard dans ce type d'environnement pour y déposer leurs œufs.

Les milieux de vie occupés ou recherchés par les maringouins sont toujours composés d'eau stagnante dont la profondeur varie généralement de quelques centimètres à un mètre, rarement plus. Les milieux d'eau courante, tels les ruisseaux et les rivières, sont donc exclus. Toutefois, il peut arriver qu'un débordement de ces derniers puisse créer des zones où l'eau ne bouge à peu près pas. Quelques espèces de moustiques peuvent alors profiter de ces milieux pour y pondre.

L'eau dans laquelle prolifèrent les moustiques est sujette à des fluctuations importantes de profondeur et de température. Au printemps, à la fonte des neiges, ou au cours de l'été, à la suite de précipitations ou sous l'effet de débordements de cours d'eau, beaucoup de dépressions au sol accumulent l'eau qui subit les effets de la température ambiante. La matière organique qui se retrouve dans l'eau des mares ainsi créées pourra soutenir des formes de vie variées dont celles de futurs maringouins ; elle est apportée par le vent ou le ruissellement de l'eau et renferme des feuilles, des graines, des algues, etc. Le milieu alors constitué formera un véritable petit univers de vie, en quelque sorte un microcosme ; des végétaux s'établiront, de minuscules organismes (bactéries, protozoaires*, champignons et petits crustacés) formeront le plancton, des insectes s'y développeront et même des vertébrés, dont des têtards de grenouilles, profiteront des ressources qui s'y trouvent pour compléter leurs cycles vitaux.

Voilà donc une véritable communauté biotique qui occupe un tel milieu dont la superficie peut varier de quelques centimètres carrés (les dépressions au sol) à plusieurs mètres (les mares à feuilles, les mares de rochers), ou même quelques kilomètres carrés (les marécages). La plupart de ces milieux seront temporaires étant donné leur faible profondeur et leur exposition à l'évaporation. Beaucoup d'organismes vivants ne parviendront pas à y achever leur développement, se déplaceront vers d'autres milieux favorables ou mourront desséchés. Par ailleurs, des milieux un peu plus profonds conserveront l'eau en permanence, soutenant alors l'accomplissement total des fonctions écologiques de végétaux et d'animaux.

Des milieux pour satisfaire les moustiques les plus exigeants

Il est évident qu'une grande variété de mares peuvent se former à la suite des précipitations et des débordements de cours d'eau. Cependant, toutes ces mares ne seront pas nécessairement retenues et colonisées par des maringouins. Des conditions particulières liées entre autres à la nature du sol et au degré d'ensoleillement ainsi qu'au comportement de chacune des espèces seront déterminantes dans la sélection de leurs milieux de vie. De plus, des espèces convoiteront des milieux qui s'assèchent après un certain temps, d'autres plutôt des mares demeurant permanentes. Toutefois, un constat s'impose: les dépressions en forêt au printemps, les marécages, les zones de débordement de rivières et les fossés au cours de l'été apparaissent comme étant les milieux potentiellement les plus productifs en moustiques. Certains étangs comportant des zones peu profondes avec une végétation enracinée ou des algues flottantes peuvent également être colonisés par quelques espèces.

Compte tenu des modifications des territoires habités ou exploités par l'homme, il faut s'attendre à ce que de nouveaux milieux soient créés et deviennent propices à l'essor des moustiques. Dans la recherche d'une interprétation de l'expansion rapide du VNO en Amérique, la nature et la qualité des environnements urbains et périurbains doivent être considérées; nous reviendrons sur cette question. Dorénavant, en plus de l'examen des milieux naturels comme lieux principaux d'établissement des moustiques, il faudra accorder une attention toute particulière aux environnements et aux objets issus de l'activité humaine. Pour bien comprendre et apprécier le succès rencontré par certaines espèces dans leur conquête de nouveaux territoires, il faut bien connaître les milieux habituels qu'elles convoitent, certains abritant des vecteurs potentiels du VNO.

Étang naturel de faible profondeur favorable à la ponte et au développement des moustiques.

Dans la nature...

En premier lieu, mentionnons les plans d'eau naturels pouvant soutenir la croissance puis la propagation de moustiques:

- les dépressions du sol en forêt ou à sa lisière, formant des mares avec feuilles;

- les fossés et les dépressions sur tourbe dans les champs ou en milieux ouverts;

- les dépressions en zones de débordement de rivières et de ruisseaux;

- les crevasses et les trous dans les rochers, le long des cours d'eau et des rivages marins;

- les étangs avec végétation, les marécages et les tourbières*
dont les surfaces peuvent être très importantes;

- les creux d'arbres (dendrothelmes*) et les urnes foliaires
(feuilles de la sarracénie* ou, dans les régions plus chaudes,
les feuilles et les fleurs des broméliacées*, les noix de coco
brisées au sol et les tiges vides des bambous);

- les pistes d'animaux et les terriers abandonnés, envahis par
l'eau.

... ou tout près de chez nous

En second lieu, et dans le contexte de la propagation du VNO, il
ne faut surtout pas négliger des gîtes[12] artificiels issus de la
technologie et de l'activité humaine. Ceux-ci peuvent être sollicités par certaines espèces de maringouins, notamment par celles
cherchant à s'installer en territoires nouveaux. De dix à quinze
jours sont suffisants pour qu'elles s'y développent à partir d'œufs
préalablement pondus dans ces endroits, puisque l'eau qu'on y
trouve est déjà croupissante. Mentionnons principalement les
objets suivants:

- les récipients de métal ou de plastique, telles les canettes et
les bouteilles vides, les carcasses d'appareils ménagers et de
voitures, les pneus abandonnés, les bidons et réservoirs
d'eau, les caves inondées;

- les bassins et les mares formés par l'endiguement de cours
d'eau, les puisards munis de cunettes (plaques de rétention
de sable et d'objets solides) et les bassins de rétention des
eaux provenant des égouts pluviaux, les fossés creusés sur
les terres agricoles ou le long des routes et des voies ferrées,
à la suite de leur obstruction volontaire ou non; les fosses
septiques négligées et exposées à l'air;

- les auges-abreuvoirs pour animaux et les bases de pots et de
vases floraux;

---

12. Le mot *gîte* désigne ici des lieux de refuge d'espèces de moustiques.

- les jardins d'eau stagnante, les pataugeoires et les baignoires pour oiseaux non entretenus;

- les bacs et les embarcations non vidés de leur eau;

- les ornières sur terre créées par divers véhicules (moto-cross, vélos de montagne, tout-terrains);

- les trous créés par des explosifs, les affaissements de terrain et les puits abandonnés, les galeries et les couloirs souterrains;

- les bassins rizicoles (régions chaudes), les marais salants (bordure de mer) et les mares issues de dépotoirs à neige usée.

Évidemment, cette liste peut s'allonger si l'on imagine les types d'objets abandonnés volontairement ou non. Beaucoup d'entre eux peuvent accumuler l'eau des précipitations et de la fonte des neiges. Dans de rares cas, il est toujours possible que le toit plat mal drainé d'une maison ou d'un hangar et des rigoles non entretenues et colmatées puissent permettre à quelques espèces de s'y développer. Cependant, n'allons pas croire qu'un récipient pourra accueillir des moustiques quelques heures seulement après une pluie. Il faut plusieurs jours, sinon plusieurs semaines avant qu'il y ait colonisation par ces derniers. Il ne faut pas oublier que les moustiques chercheront des endroits propices à la ponte de leurs œufs et à leur éclosion; la panoplie d'objets hétéroclites qu'on peut laisser sur les galeries, les patios, dans les cours arrière et même les terrains vagues peuvent accumuler de l'eau qui, avec les jours et les semaines, s'enrichira progressivement de matière organique pouvant éventuellement soutenir des larves de moustiques.

On n'insistera jamais assez sur la faible profondeur des plans d'eau recherchés par les maringouins et sur l'absence de tout mouvement de l'eau. Ainsi, les piscines entretenues normalement et dont la profondeur dépasse le mètre ne retiennent pas de tels insectes. Toutefois, il arrive que des résidences mises en vente peuvent être abandonnées quelque temps, de même que leurs plans d'eau (piscine, baignoires pour oiseaux, vases, etc.); quelques semaines suffiront pour que des moustiques envahissent de tels objets comportant de l'eau croupissante. Aussi, des récipients souvent destinés au rebut ou de préférence au recyclage peuvent se retrouver près de hangars d'entreprises privées ou publiques; encore ici, ils deviennent attrayants pour des moustiques qui pourront y croître en quantité non négligeable.

Que recherchent les moustiques dans un plan d'eau?

Les moustiques colonisent des milieux souvent particuliers à chacune de leurs espèces. Quelques-unes de ces espèces peuvent se retrouver dans une même mare, limitées alors par la capacité nutritive que peut offrir cette dernière. Au fur et à mesure que la saison avancera, d'autres espèces prendront la relève. Au printemps et en début d'été, les plans d'eau naturels sont occupés par des espèces dites *printanières*; sous nos latitudes, elles ne présentent qu'une seule génération par année. Leurs populations sont généralement nombreuses en individus et leur agressivité remarquable. À compter de juin et ce, habituellement jusqu'à la mi-septembre, des espèces dites *estivales* s'engagent dans la production de plusieurs générations. Leurs densités peuvent être moindres, mais compensées par des générations additionnelles. Ces espèces demeurent agressives pour plusieurs, les amateurs de plein air pouvant sans hésitation le confirmer. Ainsi, dans les différents types de mares naturelles de nos régions, des dizaines d'espèces se succèdent au cours de cette période consacrée aux vacances, au jardinage et à la villégiature, nous assurant de leur présence et de leurs visites. Certaines saisons, les mares peuvent rapidement s'assécher, compromettant alors la sortie de moustiques adultes; toutefois, des œufs attendront le retour de l'eau pour éclore. Malgré cela, quelque part il restera toujours des plans d'eau garantissant la survie et le développement de certaines populations de maringouins.

En sélectionnant des mares aux conditions adéquates, les moustiques assurent leur descendance. Les femelles y pondront leurs œufs au gré des conditions du milieu.

Pour les espèces printanières, la ponte a lieu à partir de mai et s'échelonne jusqu'au début de juillet. Les œufs alors pondus n'écloront qu'au printemps de l'année suivante, le développement des embryons nécessitant une exposition à des températures plus froides rencontrées au cours de l'hiver. Quant aux œufs d'espèces estivales, ils peuvent éclore tout l'été jusqu'à l'automne, selon la température ambiante ; sinon, ils attendront l'été suivant pour produire une nouvelle génération.

Dès sa sortie de l'œuf, le futur moustique connu sous le nom de *larve* a accès à une nourriture immédiate dans l'eau qui le baigne. Il prendra un certain temps pour se développer et acquérir les organes et les structures lui permettant de sortir de la mare sous la forme d'un adulte. Il sera alors en mesure de s'accoupler, puis la femelle de pondre à la surface d'un plan d'eau. Tant et aussi longtemps que les conditions climatiques le permettront, plusieurs générations d'une même espèce se succéderont au cours de la saison. Seuls les changements climatiques (diminution de la durée de la période de lumière, froid) de fin de saison bloqueront cette succession. Les œufs vont alors hiverner jusqu'au retour de conditions propices à leur développement, à la fin du printemps ou à l'été suivant.

Une mare à moustiques possède donc toutes les conditions nécessaires à l'éclosion des œufs et au soutien nourricier des larves qui en sortent. Par ailleurs, il peut exister des conditions environnementales plus difficiles pouvant retarder la croissance et même compromettre la vie de celles-ci. De plus, d'autres animaux, cette fois des prédateurs, profiteront d'une quantité impressionnante de larves à leur disposition pour s'en nourrir et limiter ainsi les futures populations de moustiques (bien que cela ne paraisse pas aux yeux des vacanciers, les moustiques sortis indemnes de leur mare d'origine devraient quand même rendre leur séjour mémorable !).

Attention aux cachettes à maringouins que nous pouvons créer

Il en est de même pour les conditions de vie dans les gîtes artificiels, bien que les animaux prédateurs y soient absents ou rares. Alors, beaucoup de maringouins pourront s'en tirer ! Ils appartiennent à des espèces appréciant ce type de milieu ; ils semblent piquer davantage, reconnaissance tangible redevable à la généreuse contribution qu'on leur apporte en créant de nouveaux milieux! De plus, ils sont à même de produire plusieurs générations tout au cours de la saison estivale. Ils appartiennent à des groupes bien particuliers dont il sera question plus loin.

Les espèces de moustiques trouvées dans les gîtes artificiels habitent aussi des milieux naturels. Cependant, des activités humaines et souvent l'insouciance des gens en matière de salubrité leur auront permis d'occuper de nouveaux environnements. En s'appropriant de la sorte ce type de gîtes, prenons par exemple une pataugeoire non entretenue et laissée à l'abandon depuis plusieurs semaines, des moustiques pourront profiter d'une présence immédiate d'hôtes à piquer, soit des enfants, des adultes ou des animaux domestiques. D'ailleurs, c'est de réservoirs d'eau, de pneus et de récipients de plastique ou de métal présents dans les cours arrière de résidences new-yorkaises que seraient issus les premiers moustiques infectés par le VNO.

Il apparaît opportun de mentionner que de tels gîtes artificiels sont devenus les endroits de prédilection pour quelques espèces retrouvées normalement en milieux naturels. Ainsi, *Aedes triseriatus* colonise l'eau accumulée dans les creux formés dans le tronc de certains arbres ; on y enregistre de petites quantités d'individus, considérant le faible volume d'eau qui s'y accumule. Depuis quelques décennies, l'espèce convoite l'eau retenue dans les pneus abandonnés en forêt ou près de celle-ci (dépôts clandestins[13]) ou entreposés à ciel ouvert. Dans ce type de gîte, l'espèce produit des quantités importantes d'individus, beaucoup plus qu'en milieu naturel. Elle arrive même à déloger d'autres espèces qui tentent aussi de s'approprier l'eau de gîtes artificiels ; de plus, elle est reconnue comme pouvant véhiculer plusieurs virus responsables de certaines maladies, comme les encéphalites. Des espèces de moustiques, telles que les *Culex pipiens* et *Culex restuans* associées au VNO, peuvent

---

13. Heureusement moins fréquents depuis l'énoncé de dispositions légales relatives à la protection de l'environnement et à l'avènement de moyens de recyclage de pneus usés.

aussi se retrouver dans l'eau de pneus abandonnés. Il ne serait pas étonnant qu'elles livrent une vive concurrence à d'autres espèces qui tenteraient aussi d'occuper de tels milieux.

Est-ce que tous les moustiques peuvent porter le VNO?

Si l'on se rapporte au nombre d'espèces de moustiques établies au Québec, sur 57 espèces présentes entre mai et octobre, 6 ont été répertoriées à ce jour comme pouvant véhiculer le virus par leurs piqûres. Toutefois, plus d'une vingtaine pourraient lui être associées alors qu'aux États-Unis elles sont plus d'une quarantaine. Par ailleurs, si l'on considère le nombre élevé d'individus qu'une même espèce peut produire, le risque que l'un d'eux ait piqué un oiseau infecté du virus est somme toute faible; de plus, que cet individu contaminé arrive à nous piquer est encore beaucoup plus faible, compte tenu que, sous nos latitudes, un second repas sanguin par des moustiques n'est pas un phénomène courant.

Mais, pour le virus du Nil occidental, les puisards se sont révélés d'excellents gîtes où peuvent se réfugier principalement des femelles de *Culex pipiens*. Pour une espèce bien inféodée à l'environnement urbain, les milliers (plusieurs centaines de milliers dans les grandes villes) de puisards deviennent des endroits de prédilection pour leur développement. Les maringouins y trouvent une humidité et une température appropriées et stables; les adultes se fixent aux parois de ces puisards et arrivent même à résister aux écoulements d'eau dans ces canalisations pendant les pluies. Les femelles trouvent, dans les cunettes retenant les débris et aussi une certaine quantité d'eau, des lieux où déposer leurs œufs. Rapidement, de petites larves pourront apparaître; elles parviendront grâce à leurs branchies à extraire l'oxygène de l'eau dans lesquelles elles baignent. Leur croissance s'avère rapide compte tenu que, le plus souvent, beaucoup de matériaux organiques présents dans l'eau leur serviront de nourriture. Mais attention aussi à d'autres gîtes telles les carcasses de voitures qui, en accumulant de l'eau, pourraient favoriser le développement de plusieurs espèces dont *Culex pipiens*.

Dans les programmes d'aménagement des espaces urbains ou ruraux, il faut toujours considérer l'expansion possible du territoire vital de certains moustiques. Les villes leur offrent entre autres «paradis» des égouts pluviaux et des bassins de rétention pouvant laisser croupir de l'eau suffisamment longtemps pour soutenir leur développement. Les résidents des banlieues sont aussi victimes de hordes de maringouins. Leur présence est souvent associée au colmatage de ruisseaux en ces lieux rêvés des banlieusards. Une meilleure planification des aménagements réalisés aurait pu atténuer les problèmes de nuisance rencontrés. Mais les moustiques persistent en dépit de la résistance qu'on leur oppose! Il faudra mettre en application des mesures simples relatives à la disposition des objets destinés aux rebuts tout en engageant des démarches de protection personnelle contre les piqûres de maringouins (voir chapitre 5).

Impact des conditions climatiques

Bien qu'il soit impossible de prévoir avec exactitude l'abondance des moustiques d'une année à l'autre, certaines observations conduisent tout au moins à anticiper une certaine présence qui, somme toute, dépasse habituellement la tolérance des gens. Trop de facteurs impondérables sont en cause : la température de l'air, le rythme et la quantité des précipitations, le vent et le taux d'évaporation de l'eau des mares ne sont pas prévisibles. Chacun d'eux devient déterminant du succès de ponte des femelles moustiques, de leur déplacement, de même que de la satisfaction de leur quête de sang. Toutefois, à partir de données et d'observations tirées de travaux sur le terrain, il demeure toujours possible de tenter d'extrapoler sur des situations écologiques susceptibles de se présenter.

En ce qui concerne les œufs déposés la saison précédente, de fréquentes précipitations de neige et une épaisse couche de celle-ci favoriseront leur protection et ultérieurement leur éclosion au printemps. Malgré un froid intense, la plupart des œufs trouvent protection sous la glace, à même le sol ou dans la vase. Par contre, un hiver doux avec peu de neige suivi d'un

Jean-Pierre Bourassa

Mare à moustiques formée en milieu urbain par l'eau de la fonte des neiges ou de précipitations.

déficit en eau au printemps ne fera que retarder l'éclosion des œufs. Ceux-ci pourraient s'ouvrir rapidement et abondamment à la suite de la formation d'une mare par des précipitations. Mais, comme en 1994 au Québec, il est toujours permis de rêver à une saison pauvre en maringouins! Il apparaît opportun de mentionner que, sous l'effet d'une sécheresse, les larves nouvellement écloses viendront en contact avec une nourriture plus concentrée, car il y a de moins en moins d'eau; malgré que beaucoup d'entre elles subiront les contrecoups de l'assèchement de la mare, celles qui tirent profit de la présence d'eau et d'une nourriture abondante auront une croissance accélérée, les amenant même à les soustraire à l'impact d'un assèchement. Mais, comme les moustiques s'adaptent toujours, ils parviennent aussi à se développer avec peu de nourriture; les adultes alors formés sont petits mais très actifs dans la recherche d'hôtes à piquer. On ne s'en sauvera donc jamais!

Quant au virus du Nil, sa multiplication dans le corps de moustiques sera grandement accélérée sous une température estivale plus chaude. De plus, les hôtes (oiseaux, mammifères) sur lesquels les moustiques cherchent à prélever du sang, subissant les conséquences d'une température plus élevée, auront tendance à se regrouper dans des refuges ombragés devenant alors plus accessibles aux moustiques. Par ailleurs, le vent peut retarder l'entrée en chasse des femelles moustiques ; elles attendront le moment propice pour subtiliser du sang et, si elles sont atteintes du VNO, le transmettront à leurs hôtes, récepteurs bien involontaires.

Il est bon de rappeler que les récipients et les puisards ont la propriété, le jour, d'accumuler de la chaleur ; ils accélèrent alors le développement des œufs et des formes immatures des moustiques qu'ils hébergent tout en procurant, la nuit ou en périodes de mauvais temps, des refuges adéquats pour les adultes (cas des puisards pour les femelles de *Culex pipiens*). De plus, au cours des journées de fin d'été, les chutes abondantes de pluie ou les orages mettent en eau les dépressions dans les champs ; c'est alors que les œufs de l'espèce *Aedes vexans*, reconnue aussi comme porteuse du VNO, vont éclore ; suivra une croissance rapide des larves.

Les données météorologiques accumulées depuis 1990 en Russie et en Israël, ainsi qu'en Amérique du Nord au cours des dernières années, soutiendraient que les cas de transmission du VNO aux humains sont plus nombreux à la suite d'hivers doux et de périodes de sécheresse estivale ; en réalité, les plans d'eau étant peu disponibles pour la ponte des œufs, les femelles, en l'occurrence de *Culex pipiens*, chercheront à pondre dans les gîtes artificiels tels les puisards des municipalités. Ainsi, les adultes issus de ces derniers milieux chercheront à piquer davantage les oiseaux urbains ainsi que les personnes devenues plus accessibles. C'est alors que les cas de transmission du VNO pourraient augmenter de façon importante certaines années, comme en 2002 aux États-Unis et au Canada, surtout que certains moustiques peuvent porter le virus d'une génération à une autre.

Chapitre 4
Le moustique révélé

L'observation attentive, pour ne pas dire détaillée, d'un maringouin est plutôt inhabituelle chez la plupart d'entre nous. On le comprend fort bien. La réaction immédiate est de l'empêcher de s'approcher de soi et, s'il y parvient, de passer aussitôt à l'opération de frappe. Cette dernière sera plus violente si la bestiole réussit à se poser et, affront sublime, à nous subtiliser du sang. Ainsi, on est loin de s'attarder à apprécier son anatomie générale, encore moins à retenir des caractéristiques nous permettant de vérifier s'il s'agit d'une espèce particulière pouvant véhiculer un virus. Une telle réaction est tout à fait normale, elle est comme chez tous les animaux simplement un réflexe de défense.

Toutefois, afin de mieux comprendre son comportement et ses stratégies l'amenant à nous repérer, à nous piquer, à nous transmettre possiblement un agent infectieux tel le virus du Nil occidental, il devient nécessaire de retenir quelques bribes de son anatomie et de son fonctionnement général. Il sera alors possible de mieux connaître le cheminement du virus, d'oiseaux infectés vers des moustiques et de ces derniers vers d'autres animaux dont des humains. Les moyens de se prémunir des piqûres et, de là, du virus, seront plus efficaces, car mieux compris.

Le VNO est-il transmissible sexuellement ou par contact d'une personne avec une autre?

Le VNO ne peut se transmettre au cours d'activités sexuelles, ni par échange de baisers. De même, il ne peut être transmis au moment de contacts physiques entre personnes. La piqûre d'un moustique infecté au VNO est le mode de transmission courant.

Tout commence par l'œuf

On sait distinguer le moustique des autres insectes qui peuvent nous côtoyer, même de ceux de groupes différents qui cherchent aussi à nous piquer. On ne le confond pas avec la mouche noire, le taon et encore moins avec le minuscule brûlot. Sa forme générale lui est bien particulière et les sons qu'il émet à l'approche «de reconnaissance» ne laisse aucun doute sur son identité, encore moins sur ses intentions. Ce comportement n'est adopté que par le moustique adulte. La forme de celui-ci est le résultat d'une transformation profonde qu'il a subie pendant sa période de vie aquatique.

Le moustique se perpétue par la ponte d'œufs pourvus de propriétés leur permettant de résister à la chaleur pendant une sécheresse et au froid sévissant sous la neige ou la glace au cours des périodes hivernales. Leur petite taille ainsi que leur couleur foncée les amènent à se dérober plus facilement à l'action des prédateurs.

L'œuf est de forme oblongue, allongée tel un grain de riz. Sa petite taille varie, selon les espèces, de 0,50 mm à 0,65 mm. Lorsqu'il vient tout juste d'être pondu, il est pâle, mais, sous l'effet de la lumière et de l'air, il acquiert rapidement sa couleur foncée définitive. Une petite dépression caractérise l'une de ses extrémités; elle correspond au micropyle* par lequel un spermatozoïde entrera au moment de la fécondation, à la suite de l'accouplement de la femelle avec le mâle de son choix (elle en a un, nous le verrons). En pondant ses œufs, la femelle les confie à la nature; ceux-ci prendront quelques jours ou quelques mois, selon les espèces et les conditions environnementales, pour se développer. Au moment de l'éclosion, chacun laissera sortir une minuscule larve qui se retrouvera alors dans l'eau stagnante où elle obtiendra les éléments nutritifs nécessaires à sa croissance.

Le virus peut-il se transmettre en consommant de la viande sauvage?

Bien qu'il soit fortement recommandé de bien cuire les viandes, celles-ci ne seraient pas une source d'infection pour les humains; de plus, il n'y aurait pas de risques avec les œufs.

Agence canadienne d'inspection des aliments

Des œufs pondus individuellement ou... à la douzaine

Le nombre d'œufs pondus par une femelle au cours de sa vie varie, selon les espèces, de 50 à 300 environ. Ces œufs sont libérés par séquences dont la durée s'étend sur quelques heures à quelques semaines, toujours selon les espèces. Ce temps de ponte est fonction de la maturation des œufs dans le corps de la femelle, celle-ci puisant dans ses réserves énergétiques et dans les éléments sanguins issus de piqûres pour les développer. Sous des climats tropicaux, la ponte d'une femelle peut s'étirer sur quelques semaines au cours desquelles se dérouleront de nombreuses séquences de pontes. Dans les régions tempérées, la libération des œufs peut s'étaler sur trois à cinq pontes. Toutefois, la femelle de certaines espèces devra piquer plus d'une fois au cours de sa vie, ce qui la conduira à rechercher plusieurs hôtes (c'est ainsi que la femelle moustique pourra transmettre le VNO d'un oiseau infecté à d'autres animaux ou aux humains). Une ou des piqûres additionnelles peuvent s'expliquer par le fait que la femelle a été dérangée pendant un premier repas sanguin.

Ainsi, la femelle d'une espèce pondra ses œufs soit un à un, soit groupés. En règle générale, les femelles *Anopheles*, *Ochlerotatus* et *Aedes* pondent leurs œufs à l'unité, à la surface de l'eau, ou sur un sol humide, alors que les *Culex* et des *Coquillettidia* les pondent accolés les uns aux autres, formant des radeaux ou des barquettes. Il faut un œil exercé pour repérer et distinguer les types d'œufs à la surface d'un étang!

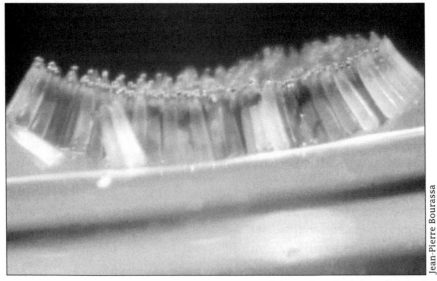

Jean-Pierre Bourassa

Barquettes d'œufs de moustiques déposées à la surface d'un plan d'eau naturel ou artificiel.

Dans l'eau, le moustique est méconnaissable

Avant d'avoir l'apparence qu'on lui connaît, le moustique doit passer par des étapes de transformations profondes, soit une métamorphose*, l'amenant à vivre dans l'eau sous la forme d'une larve, puis d'une nymphe. Ce sont des étapes qui lui permettront de croître et d'acquérir progressivement toutes les structures nécessaires pour sa vie d'adulte. Ainsi, il n'est pas étonnant que les personnes non initiées n'accordent que très peu d'attention aux formes de jeunesse du moustique, croyant observer dans l'eau des mares de petites *bibittes*, des têtards de grenouilles, sinon de petits poissons, aux allures bien particulières qui semblent s'amuser à monter par mouvements saccadés vers la surface, puis à descendre vers le fond.

Ainsi, le moustique commence sa vie active sous forme d'une larve. À sa sortie de l'œuf, celle-ci mesure à peine un millimètre de longueur. C'est le quinzième de la taille qu'elle aura à la fin de sa vie larvaire. Par de simples torsions du corps, elle est très mobile et le demeurera jusqu'à la fin de ce stade. Elle se nourrit

60

Université du Québec à Trois-Rivières

Larves du moustique *Culex pipiens*. Tête vers le bas, elles se nourrissent en filtrant l'eau ; à l'opposé, un siphon respiratoire perce le film de l'eau pour prélever de l'air.

en filtrant l'eau sous la surface ou sur le fond de la mare en broutant sur les microorganismes et les végétaux qui s'y trouvent. Pour respirer, elle se rend sous la surface et, à l'aide d'un siphon, perce le film de l'eau pour atteindre l'air ; quatre petites branchies lui permettent d'extraire directement de l'eau l'oxygène nécessaire à sa respiration. Évidemment, les pattes et les ailes qu'on reconnaît au moustique adulte ne sont pas encore apparues. La larve va croître et ses structures externes et ses organes internes se définiront ; ceux-ci prendront du volume et leurs fonctions se préciseront. Sa peau ne s'étirant que très peu, elle se déchirera sous l'effet de l'augmentation de la taille et sera rejetée une première fois ; elle sera remplacée par une nouvelle peau plus ample, permettant ainsi au jeune moustique de grossir[14]. Cette première perte de la peau est le départ d'une croissance progressive. En réalité, celle-ci va comprendre quatre étapes ou stades correspondant à autant de chutes de la peau

---

14. Par analogie, n'avons-nous pas dû, en cours de croissance, choisir des vêtements plus grands ?

suivis d'un stade qualifié de *nymphal* qui terminera la période de vie aquatique du moustique avant qu'il devienne adulte. Cette période de croissance intense dure de huit à quinze jours environ.

La larve

Caractéristiques externes de la larve

Tête: Légèrement aplatie et plus large que longue, la tête est munie de deux plages oculaires (les yeux du futur adulte ne sont pas encore précisés), de deux fines antennes et d'une bouche terminale bordée de soies mais comportant des pièces buccales, dont des mandibules actionnées latéralement.

Thorax: Globuleux, le thorax est le siège, chez l'adulte, du développement des ailes et des pattes.

Abdomen: Partie la plus allongée, l'abdomen est formé de segments bien articulés l'un à la suite de l'autre; le dernier porte un siphon respiratoire, l'ouverture de l'anus et quatre petites branchies respiratoires.

Le mouvement de la larve est saccadé; cela est attribuable à la contraction de plusieurs dizaines de petits muscles sous son tégument, ce qui l'amène tantôt à brouter tête vers le bas sur le fond de la mare, tantôt sous la surface de l'eau, le bout du siphon respiratoire perçant le film de l'eau. Les petites branchies serviront à prélever un supplément d'air, duquel l'insecte tirera une partie de l'oxygène nécessaire à ses fonctions. On comprendra alors pourquoi le moustique se développe dans les plans d'eau peu profonds, considérant que la larve doit atteindre efficacement sa nourriture sur le fond et l'air en surface. L'eau étant stagnante et peu profonde, toutes les activités de la larve deviennent réalisables.

Caractéristiques internes de la larve

Tube digestif: Longiligne, le tube digestif va de la bouche à l'anus; il comporte des sections spécifiques à l'assimilation de la nourriture (intestin antérieur), à la digestion (intestin moyen) et à l'assimilation (intestin postérieur) des éléments nourriciers et aux rejets des excréments au niveau de l'anus.

Système respiratoire : L'air circule à travers un réseau tubulaire qui part du siphon respiratoire et des branchies pour se ramifier en de fines canalisations débouchant sur les organes et leurs cellules. Ces dernières tireront l'oxygène de l'air véhiculé tout en y rejetant le gaz carbonique issu du métabolisme général de la larve.

Système circulatoire : Un seul vaisseau permet au liquide nourricier (appelé *hémolymphe*, équivalent du sang, mais sans globules rouges) de circuler ; ce vaisseau, ouvert aux extrémités, se contracte périodiquement et fait bouger le liquide qui baigne tous les organes internes. C'est un système circulatoire ouvert : l'hémolymphe renferme les éléments nutritifs rendus disponibles pour les cellules des différents organes.

Système excréteur : Des cellules particulières forment des tubules connectés à l'intestin et dont l'action est de tirer de l'hémolymphe les produits de déchets qui seront évacués par l'intestin. En somme, l'équivalent des reins.

Système nerveux : La larve, comme tout insecte, possède une chaîne nerveuse formée de ganglions dont quelques-uns, groupés, constituent le cerveau. Cet ensemble comporte aussi des récepteurs sensitifs sur le corps, sur la tête (antennes, plages oculaires) et autour des organes internes. Eh oui !, un moustique peut avoir une grande sensibilité qui deviendra évidente lorsqu'il cherchera à piquer, une fois parvenu à l'état adulte ; cette même sensibilité favorise aussi les mouvements de fuite des larves dans une mare.

La nymphe présente une forme tout à fait spéciale, un peu comme une virgule, sa longueur variant de 3 à 7 mm. Pour le non-initié, il n'est pas encore évident qu'on soit en présence d'un insecte qui cherchera plus tard à nous piquer. Bien qu'elle ne se nourrisse pas et qu'elle soit privée d'une bouche et d'un anus fonctionnels, la nymphe est rarement immobile, se déplaçant de façon saccadée grâce à deux palettes natatoires au bout de son corps. Elle réagit rapidement à toute vibration dans l'eau ainsi qu'à la lumière. Elle vient sous la surface de l'eau pour y puiser, à l'aide de deux petits tubes, l'air nécessaire pour sa respiration.

Université du Québec à Trois-Rivières

Nymphes de moustiques : le moustique a atteint son stade de développement précédant sa sortie comme adulte.

Fait tout à fait remarquable chez la nymphe du maringouin, elle est le siège de modifications profondes dans son anatomie, ses structures et son comportement, le tout préparatoire à l'apparition imminente de l'adulte. Le tube digestif s'ouvre, les organes génitaux se précisent ainsi que les glandes qui leur sont annexées. La tête, les antennes et les pièces buccales se développent; son corps s'effile, les ailes et les pattes se raffinent. Après 48 à 72 heures, la nymphe s'accole sous la surface de l'eau puis se gonfle d'air par l'intermédiaire de ses tubes respiratoires; il en résulte une déchirure de sa peau, laissant sortir progressivement un adulte. Il faut de 15 à 60 minutes avant que celui-ci complète sa sortie de l'eau. La croissance graduelle du moustique est terminée. Le nouvel adulte est bel et bien un moustique, il n'y a aucune ambiguïté. Dorénavant, il va vivre hors de l'eau. Il est à même de voler, de se nourrir de ressources alimentaires liquides (sèves, sang), de s'accoupler et de produire des descendants fertiles, semble-t-il toujours très (ou trop!) nombreux.

Adulte aux intentions dignes de son espèce

Le moustique adulte est là pour se reproduire et assurer la pérennité de son espèce. Ce qu'il fait avec grandiloquence et à nos plus grands regrets! Toutes les structures externes et tous les organes internes qu'il possède sont engagés dans cette mission. Ses déplacements sont assurés par une paire d'ailes au battement efficace et tenace, et par trois paires de pattes munies à leur extrémité de griffes l'assurant d'une bonne emprise sur la peau d'un animal (humain compris) qu'il cherchera à piquer. De plus, des yeux larges et globuleux, deux antennes étalant de longues soies et des récepteurs nerveux à plusieurs endroits sur le corps participent à la coordination de ses mouvements et à son orientation. Chez la femelle, les stratégies d'approche d'un hôte ou d'un lieu de ponte se font précises, son système visuel lui permettant de détecter les formes, certaines teintes et les émissions de chaleur; ses deux antennes sont en mesure de repérer les odeurs (dont le gaz carbonique) qui émanent d'un hôte potentiellement *généreux* de son sang ou de feuilles en décomposition provenant d'un plan d'eau pouvant accueillir ses œufs. Pour piquer et prélever du sang, ses pièces buccales forment un tube aspirateur puissant à la base duquel aboutissent les canaux provenant de ses glandes salivaires; la femelle peut donc injecter une salive aux propriétés particulières (voir p. 76) qui l'aidera à ingurgiter du sang. Enfin, elle dispose d'une bouche dont les parois de la portion arrière sont élastiques, formant ainsi une véritable pompe aspirante.

Comme tous les autres insectes, le maringouin adulte possède un tube intestinal aux parois sécrétrices de substances digestives dans la première partie et assimilatrices d'éléments nutritifs dans la seconde. Sa respiration est assurée par tout un réseau de fines canalisations parcourant l'intérieur du corps, mais venant en contact direct avec l'air par l'intermédiaire de stigmates ou d'ouvertures à la surface. Les cavités du corps renferment un liquide, l'hémolymphe, l'équivalent du sang chez les animaux supérieurs; ce liquide diffuse lentement entre les divers organes internes, les assurant des éléments nourriciers retenus par l'assimilation digestive. De longs filaments rattachés à l'intestin plongent dans ce liquide et en extraient les produits de déchets pour les éliminer du corps. À l'extrémité de la cavité abdominale, les organes internes de la reproduction, testicules ou ovaires, communiquent respectivement avec un pénis ou une ouverture génitale pour y laisser aboutir les spermatozoïdes ou les ovules (œufs). Enfin, au niveau de la tête, le moustique possède un cerveau relié à une chaîne nerveuse parcourant le corps.

Voilà tous les organes en place permettant au moustique d'assumer ses fonctions vitales tout en contribuant au fonctionnement et à l'équilibre des écosystèmes de la planète. Un si petit insecte qui a déployé une multitude de stratégies vitales qui l'ont amené à s'imposer dans le monde animal!

En place pour le plaisir et celui des hôtes!

La sortie de l'eau des mâles précède de quelques heures ou de quelques jours celle des femelles. Ce décalage s'explique par la nécessité d'un temps plus long pour compléter la maturation des individus femelles. Cette sortie du plan d'eau d'origine n'est pas sans risques pour les maringouins. Ils sont attendus par de nombreux prédateurs maraudant à la surface de l'eau. Ainsi, araignées, punaises d'eau, patineurs, grenouilles, profitent d'une manne abondante si l'on en juge par la quantité importante de larves qui peuvent se développer dans une mare. Une fois cette étape ou épreuve franchie, les femelles rejoignent les mâles, ces prétendants, déjà installés sur des feuilles ou des branches, à l'abri des radiations solaires directes, et extirpant de la sève et des sucs nourriciers. Pendant quelques jours, ils élaboreront leurs réserves énergétiques pour soutenir leurs déplacements, notamment ceux liés à leur vol nuptial, rencontre salutaire pour l'espèce en question. Maintenant, tout est question de circonstance, tant pour les mâles que pour les femelles; ils tenteront de participer à cette mission ultime, se reproduire et assurer une descendance... nombreuse!

Cycle de développement des moustiques

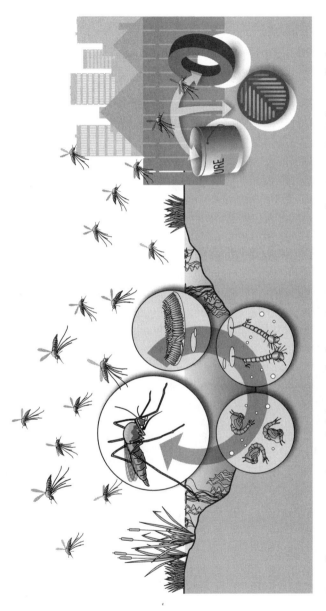

Dans l'eau stagnante, les œufs éclosent, des larves en sortent, se transforment en nymphes et, finalement, des adultes en émergent pour rejoindre le milieu terrestre. Les individus de certaines espèces peuvent être entraînés vers des habitations ; les femelles déposent alors leurs œufs sur l'eau accumulée dans divers objets récipients ou dans des puisards pluviaux.

Chapitre 5
Habitudes de vie décriées mais combien efficaces

Il est facile de constater la grande vitalité avec laquelle les composantes de la nature s'implantent et se développent dans un milieu. Un champ abandonné est envahi rapidement par de nouvelles plantes se succédant pour faire place, après quelques décennies, à une forêt aux essences variées. La nature ne tolère pas les espaces vides. La dispersion de graines par le vent et par les animaux pourra favoriser l'installation de nouveaux groupements végétaux; ces derniers parviendront à un équilibre pouvant durer plusieurs centaines d'années, rejoignant le type de forêt qu'un climat maintient et qu'une région peut supporter par la qualité de ses sols. Il en va de même pour les animaux. Leur présence est aussi régie par les conditions climatiques de même que par le couvert et le tapis de végétation qui se sont installés. En contrepartie, ils influenceront la composition végétale. Leur mode d'alimentation, leurs déjections et surtout le transport passif de graines participeront à la consolidation du paysage végétal. Encore une fois, dans la nature, tout est question d'équilibre. Aucun organisme vivant ne peut demeurer inactif. Il en va de sa survie.

Par leur diversité et leur abondance, les insectes doivent être considérés comme des acteurs majeurs dans le maintien de l'équilibre de tout milieu naturel. Parmi eux, les moustiques ne sont pas laissés pour compte. L'immense quantité de matière organique (biomasse) qu'ils forment puise dans les composantes végétales (alimentation sur la matière organique d'origine végétale, sur les sèves et les sucs végétaux) et contribue à nourrir des animaux. De plus, ces insectes peuvent transporter, au cours de leurs visites sur des plantes, des grains de pollen qui se sont collées à eux et qui participeront à la pollinisation de plusieurs végétaux. Ainsi, toute espèce joue un rôle particulier dans l'économie naturelle d'un milieu donné.

Un écosystème (tels une érablière, un marécage) ne peut soutenir qu'un nombre limite d'espèces végétales ou animales; chacune d'elles ne produira qu'un nombre défini d'individus. Alors, il est facile de comprendre que l'arrivée d'une nouvelle espèce d'insecte ne peut que se traduire par sa survie difficile, la disparition d'une espèce locale, l'échec ou le succès de l'implantation.

Les moustiques, bien représentés

On sait, par expérience, que, lorsqu'ils se manifestent, les maringouins le font sous représentation nombreuse. Pour assurer leur présence dans les cycles écologiques de la nature, ils doivent produire une surabondance d'individus. C'est le cas de beaucoup d'insectes chez qui les conditions environnementales réduisent de façon notoire l'effectif de leurs populations. Les moustiques forment une biomasse non négligeable malgré la taille de chacun d'eux. C'est en raison du nombre élevé de son effectif qu'une espèce arrive à piquer des hôtes et à produire beaucoup d'œufs. Par exemple, dans un marais salant d'une trentaine d'hectares en Floride, l'espèce *Aedes taeniorhynchus*, caractéristique de ce type de milieu, peut produire plus de deux milliards d'individus adultes. À une échelle plus modeste, les mares de forêts et les marécages des régions tempérées permettent aussi la prolifération de dizaines de milliers d'adultes; toutefois, l'effet de leur assèchement progressif lors d'une saison plus sèche peut tuer une quantité non négligeable des formes immatures (larves et nymphes). Ces dernières, par leur décomposition, enrichissent la matière organique des sols et soutiennent la vie d'autres organismes, végétaux et animaux. Toutefois, les œufs de moustiques, en quantité toujours importante, peuvent résister aux périodes d'assèchement et constituent la réserve en individus pour toute espèce. Par ailleurs, ils servent de nourriture à de nombreux insectes, à des amphibiens et même à des oiseaux et à des petits mammifères qui réussissent à les repérer.

Ainsi, la surabondance des moustiques, soit sous forme de larves et de nymphes, soit sous forme adulte, enrichit les milieux, c'est certain. Cependant, leur mortalité causée par des facteurs du milieu est importante. Contrairement à la croyance populaire, rares sont les espèces animales qui appuient leur régime alimentaire exclusivement sur les moustiques adultes, malgré leur forte présence au cours des belles soirées estivales. Dans les régions tempérées, la majorité des prédateurs composés entre autres d'oiseaux et de chauves-souris prélèvent moins de 4% de leur alimentation sur les moustiques. Il est plus avantageux au point de vue énergétique qu'ils attrapent d'autres insectes telles des libellules qui, elles, capturent des moustiques en bonne quantité. En revanche, certaines espèces d'oiseaux, bons chasseurs, peuvent occasionnellement profiter de cette manne pour satisfaire leurs besoins nourriciers et ceux de leurs oisillons.

Jean-Pierre Bourassa

Objets récipients pouvant accumuler de l'eau et servant de lieu de ponte et de développement d'espèces de moustiques porteuses potentielles du virus du Nil occidental.

Puisard, lieu de refuge et de développement de certaines espèces de moustiques dont *Culex pipiens,* principale espèce porteuse potentielle du virus du Nil occidental.

Jean-Pierre Bourassa

Dans le cas des moustiques vivant en zone urbaine ou périurbaine, leur prolifération est redevable le plus souvent aux gîtes artificiels créés par les activités ou la négligence humaine ; on favorise leur venue et leur implantation dans les municipalités. D'ailleurs, les risques de propagation du virus du Nil occidental sont principalement liés à quelques espèces de moustiques trouvant en milieu urbain ou en périphérie de celui-ci, les conditions propices à leur développement. Leurs prédateurs n'ont pas suivi et leur abondance est assurée, à notre plus grand dam. Ainsi, dans l'éventualité de programmes de lutte contre certaines populations de moustiques potentiellement associées à la propagation du VNO, les interventions toucheront surtout des espaces urbains ou suburbains dans lesquels les maringouins sont en mesure d'agir à leur guise !

Doit-on vider les piscines ou amorcer leur ouverture plus tôt au printemps afin d'éviter que les moustiques s'y installent ?

Non. Il n'y a aucun risque que des moustiques se développent dans l'eau d'une piscine, évidemment si celle-ci est entretenue normalement. De tels insectes, lorsqu'ils sont sous forme de larves, se trouvent rarement dans une eau dont la profondeur dépasse un mètre. Toutefois, les piscines à l'abandon, laissées avec une eau croupissante et de faible profondeur pourraient inciter certaines espèces à venir y déposer leurs œufs.

La part du maringouin

Comme tout être vivant, le moustique tente constamment de tirer avantage de son environnement immédiat. Son principal profit est lié au succès du prélèvement de sang, compte tenu que celui-ci permettra à l'espèce d'assurer sa descendance. Ainsi, la femelle du moustique cherchera à piquer des hôtes qui, malgré eux, contribueront, de façon désintéressée mais non moins importante, à la reproduction et à la dissémination de cet insecte méprisé. Pour assurer la maturation du plus grand nombre d'œufs possible, elle utilise des protéines tirées du sang ; au cours de la digestion, celles-ci seront fragmentées en acides aminés, éléments essentiels à cette fonction. Toutefois, beaucoup de moustiques des régions tempérées peuvent, en l'absence d'un hôte disponible, développer un nombre suffisant d'œufs et ainsi assurer la survie de leur espèce. Même, sous des latitudes plus nordiques, là où la disponibilité immédiate d'un hôte n'est pas toujours assurée, ils parviennent, sans recourir à du sang, à produire des œufs puis à les pondre en quantité non négligeable. Toutefois, lorsque des hôtes (caribous, ours, bernaches, humains) se présentent, les femelles moustiques apprécieront leur fidélité indéfectible et leur contribution magnanime!

Avant de piquer, profiter de mâles généreux

Dans les 24 à 72 heures après qu'elle est sortie du plan d'eau d'origine, la femelle du moustique comble ses besoins énergétiques immédiats en puisant dans des substances sucrées de plusieurs sortes de végétaux. Elle se pose sur ces derniers, entraînant souvent avec elle des grains de pollen qu'elle dépose sur d'autres plantes. Les femelles de certaines espèces se retrouvent alors près de leur lieu de naissance; d'autres parcourent quelques kilomètres, parfois même plusieurs dizaines si elles sont entraînées par le vent. Après ce laps de temps, la femelle part à la recherche du mâle accueillant et généreux. Aussi, les mâles eux-mêmes bien rassasiés de sucs végétaux sont à l'affût de partenaires sexuelles. Afin de s'accoupler, les femelles n'engagent pas vraiment de vols nuptiaux spectaculaires comme le font d'autres insectes telles les fourmis ailées et les libellules; toutefois, les mâles ont tendance à se rassembler par centaines d'individus, au-dessus de la cime des arbres, à ras le sol ou près de la surface d'un plan d'eau. Ils attendent! De leur côté, les femelles appliquent quelques stratégies incitatives pour les mâles en quête de l'aventure sublime et utile pour la nature. Elles émettent, en battant leurs ailes, des signaux sonores dont la longueur d'ondes est propre à l'espèce concernée. Elles libèrent aussi des substances chimiques (phéromones sexuelles) au niveau de leurs organes génitaux et vont même parfois, audacieuses ou peut-être anxieuses qu'elles sont, entrer dans l'essaim que les mâles ont formé afin de séduire d'éventuels partenaires. Selon les espèces, de telles stratégies de la part des femelles peuvent durer de quelques minutes à quelques heures ; elles ont pour effets de préparer les mâles à l'accouplement et de ne retenir que des partenaires sexuels de l'espèce concernée.

Ainsi, en frôlant ou en entrant dans l'essaim de prétendants, les femelles sont accrochées par un ou plusieurs mâles ; l'un de ces derniers sortira gagnant, ses pièces génitales étant mieux fixées à celles de la femelle. Selon les espèces, les deux partenaires resteront unis par l'extrémité de leur abdomen quelques secondes ou même quelques minutes. Ordinairement, les femelles ne s'accouplent qu'une seule fois et conservent dans leur réceptacle vaginal les spermatozoïdes reçus de leur partenaire. Ceux-ci serviront à féconder les œufs au moment de la ponte. Les spermatozoïdes peuvent être conservés plusieurs jours, voire plusieurs mois chez les femelles de certaines espèces. Ainsi, déjà fécondées, les femelles de *Culex pipiens*, espèce impliquée dans la transmission du VNO, peuvent passer l'hiver dans des abris protégés ; au moment où le climat s'adoucit, elles sont en mesure de rechercher des hôtes à piquer. C'est pourquoi il est possible d'observer des moustiques tôt au printemps au moment où la neige n'est pas totalement fondue. De plus, il arrive qu'en plein hiver des gens soient piqués à l'intérieur de leurs maisons ; la responsable est l'espèce *Culex pipiens* qui s'y est réfugiée dès l'automne (peut-être serait-elle passée d'un puisard à une maison à la faveur d'une température clémente).

Pour trouver des hôtes à piquer, une approche raffinée...

La femelle du moustique est munie de pièces buccales formant un tube rigide, véritable seringue, en mesure de percer la peau d'un animal et d'atteindre un fin vaisseau duquel elle aspirera une infime quantité de sang.

Compte tenu que le maringouin soit spécialisé dans l'art de piquer depuis des dizaines de millions d'années, sa stratégie globale est donc bien au point. Par le battement des ailes, au rythme impressionnant de 200 à 400 coups à la seconde (c'est ce qui explique la mélodie qui la révèle dans le noir de notre chambre à coucher), sous une vitesse de 5 à 25 km/h, la femelle va se déplacer et tenter de se poser sur un hôte; toutefois, elle sera surtout attirée par le groupement de plusieurs hôtes (troupeaux, nichées, rassemblements d'oiseaux) trahis en premier par leurs mouvements et leur forme. Son approche est amorcée. Par la suite entrent en jeu les couleurs émanant des hôtes; ce sont surtout celles allant du bleu à l'orangé qui attirent. De plus, elle détecte les radiations infrarouges traduisant l'émission de chaleur d'un corps; les couleurs foncées (dites *chaudes*) et le rassemblement d'hôtes amplifient de telles émissions thermiques incitant la femelle à s'en approcher.

La femelle pourrait arrêter son approche à cette étape (et passerait pour un *bon* insecte!) si ce n'était du dégagement par l'hôte de certaines substances corporelles. Ainsi, le gaz carbonique libéré par la respiration et diverses substances odoriférantes produites amènent la femelle à s'acharner sur un hôte ainsi détecté, même dans l'obscurité. L'action attractive de telles substances peut être amplifiée au cours de mouvements fréquents de l'hôte qui déclenchent chez ce dernier la libération de sueurs, d'ammoniaque ou d'acide lactique.

Ainsi, pour l'opération de repérage d'hôtes, les moustiques sont passés maîtres. Par contre, les hôtes, en particulier les animaux, peuvent s'en prémunir partiellement ou temporairement, en déployant des moyens plutôt grossiers allant de la fuite aux frissonnements du corps, en passant par les bains de sable ou d'eau; de son côté, l'humain cherchant à se dévêtir sous la chaleur de l'été tente plutôt de masquer ses émanations corporelles en se badigeonnant de substances répulsives!

On comprendra pourquoi des rassemblements de gens, d'animaux en nature ou à proximité de bâtiments de ferme, par exemple, peuvent favoriser l'attraction des maringouins. Cependant, n'oublions pas que le type d'hôtes recherché par les femelles varie selon les espèces. De plus, certaines d'entre elles seront déchaînées plutôt à l'aube, d'autres, en réalité la plupart des espèces, le seront en fin de journée, en soirée ou au cours de la nuit, sous un taux d'humidité relative d'au moins 30% à 40% (rappelons-nous l'abondance de moustiques tout juste après une pluie estivale). Quant aux espèces, surtout soumises à de longues périodes de lumière (notamment dans les régions nordiques), elles seront actives le jour. Sous des latitudes moins nordiques, les moustiques fuient l'exposition directe aux radiations solaires, évitant alors la déshydratation; on les retrouve le plus souvent cachés sous les feuilles ou dans les basses herbes. Ainsi, une marche dans la végétation, surtout à l'orée ou dans les forêts, peut les déranger et les amener à piquer. Mais il ne faut surtout pas croire que les haies de végétaux produisent des moustiques; elles leur permettent tout au plus de s'y abriter à l'occasion.

... qui se poursuit une fois la femelle posée sur la peau

Lorsque la femelle a retenu une victime elle perçoit par des récepteurs nerveux localisés sur l'extrémité de ses pattes la zone idéale pour son opération; ce sera une partie du corps de son hôte qui révèle une peau mince abritant de fins vaisseaux sanguins. Les membres, leurs articulations ainsi que la peau de la face sont alors appréciés à leur juste valeur. De plus, comble du raffinement, la femelle tentera le plus souvent de garder la tête haute, afin de favoriser l'écoulement du sang dans son tube perceur, puis dans son corps. Déjà, avant même de perforer la peau, ses glandes salivaires ont commencé à produire leur salive qui suinte à la base de sa trompe. Sans avertissement, elle insère celle-ci dans la peau de sa victime devenue pour le moment une collaboratrice bien involontaire, à moins que cette dernière ressente la douleur et expédie l'intrus vers d'autres horizons. Une telle éventualité amènera la femelle, si elle est toujours vivante, à reprendre les phases d'approche pour revenir sur un hôte, parfois le même.

En perforant ainsi un fin vaisseau, la trompe, véritable seringue, injecte aussitôt de la salive servant de lubrifiant, de dilatateur des parois du vaisseau touché et d'anticoagulant. L'aspiration du sang est facilitée à la fois par le fin diamètre de la trompe (effet capillaire), l'existence d'une petite gouttière à l'intérieur de celle-ci et l'apport de minuscules pompes aux parois élastiques dans la partie arrière de la bouche du moustique. Toute cette opération peut durer de quelques dizaines de secondes à plus d'une minute. Si la quantité de sang ne s'avère pas suffisante, la femelle est incitée à piquer une seconde fois. Il en est de même si elle est dérangée pendant un repas de sang. L'infection d'un moustique par le VNO peut donc se faire au moment d'un premier repas sanguin incomplet réalisé sur un oiseau déjà infecté; le passage du virus chez un deuxième hôte, peut-être un autre oiseau ou un mammifère, pourrait avoir lieu au cours d'un nouveau repas.

Le moustique ne meurt pas après avoir piqué, au contraire

Contrairement à la croyance populaire, la femelle moustique ne meurt pas après son repas sanguin, elle en éclate encore moins. Elle quitte son généreux donneur afin de gagner un lieu de repos, habituellement sous une humidité relative élevée (une branche, une feuille, la végétation haute au sol), où elle va digérer son repas et assimiler les éléments nécessaires à la maturation de ses œufs. Après quelque 36 à 72 heures, elle quittera ce lieu pour rechercher un endroit propice à la ponte. Encore ici, il est toujours possible qu'une femelle moustique, même après avoir pondu, soit amenée à piquer de nouveau, selon sa vitalité (état physiologique). Dans l'éventualité où la femelle ait contracté le virus du Nil au moment de la première piqûre, elle pourrait alors le transmettre à un nouvel hôte.

Les femelles *Aedes* et *Ochlerotatus* sont prêtes à pondre leurs œufs dans une mare ou sur un sol humide immédiatement après qu'ils ont été formés, alors que les *Culex* prendront plus de temps pour trouver l'endroit propice à leur ponte, étant surtout attirées par une eau croupissante de milieux naturels ou artificiels. Il n'est donc pas étonnant que les premières femelles, surtout d'espèces printanières, profitent d'une multitude de plans d'eau formés par la fonte des neiges pour y libérer leurs œufs.

D'ailleurs, elles les déposent même sur des sols humides. Préalablement, la femelle aura exploré le lieu. La lumière reflétée par l'eau d'une mare et ses parties ombragées sont déterminantes dans la sélection du lieu. Il est bien connu aussi que des repères visuels et olfactifs, associés à la présence de végétaux bordant la mare, d'une matière organique en décomposition, de divers sels minéraux (provenant par exemple de la décomposition de feuilles) l'inciteront à déposer ses œufs à un endroit plutôt qu'à un autre. Même des substances (phéromones) produites par les larves pendant leur développement dans l'eau peuvent demeurer attrayantes pour la femelle de leur espèce qui y déposera ses œufs. C'est en quelque sorte un retour au lieu d'origine favorisé par une acuité visuelle et olfactive remarquable.

Les œufs, au gré des adversités du milieu

Les œufs, une fois déposés, sont laissés à eux-mêmes, mais dans un type de milieu qui a pu, depuis des millions d'années, assurer leur éclosion. Déjà, on l'a vu, ils possèdent des caractéristiques leur permettant de lutter contre les intempéries, dont la sécheresse et le froid, malgré qu'un certain nombre puissent trépasser. Mais ils demeurent aussi exposés à la prédation par certains animaux. Pour ceux qui auront été pondus sur l'eau par des espèces estivales, ils écloront en quelques heures ou quelques jours, selon la température ambiante. Si la portion de la mare qui les a reçus s'assèche trop rapidement, ces œufs entreront en diapause* temporaire ; une immersion par l'eau de précipitation sera la condition favorisant leur éclosion. Seuls la baisse de la température et le changement dans la photopériode journalière (rapport du nombre d'heures de lumière et du nombre d'heures d'obscurité) feront en sorte qu'ils passeront à un repos hivernal ; cette situation s'amorce, sous les latitudes tempérées, vers la mi-septembre. Quant aux œufs d'espèces n'ayant qu'une seule génération par année (espèces printanières), ils entreront en diapause obligatoire et subiront les effets du froid avant d'éclore l'année suivante, au moment où l'eau de la fonte des neiges et la hausse des températures le permettront.

Les œufs peuvent demeurer viables plusieurs mois et, pour certaines espèces surtout des régions tropicales, quelques années. Fécondés, ils possèdent chacun un embryon qui a amorcé son développement, mais qui s'est arrêté à un stade précis compatible avec sa survie. Ainsi, il n'est pas surprenant de voir apparaître, après une période de sécheresse suivie de précipitations abondantes, des quantités impressionnantes de moustiques adultes. C'est le cas de certaines saisons à moustiques comme le fut l'été 1996 au Québec. Il est opportun de retenir que la sécheresse totale d'une mare tue les larves et les nymphes qu'on y trouve, mais pas les œufs. Au contraire, ces derniers entrent en diapause temporaire jusqu'au moment où l'eau de précipitation fait en sorte qu'ils reprennent leur développement et éclosent, le cas échéant.

En réalité, chaque espèce occupe une niche écologique

Dans leur recherche d'animaux à piquer, la plupart des 3 500 espèces de moustiques de la planète se sont, en quelque sorte, partagé les hôtes. Heureusement, elles ne vivent pas toutes sous les mêmes latitudes! La très grande majorité se trouvent sous les tropiques, en raison de la quantité importante d'animaux qui y vivent et surtout en raison d'un climat plus stable propice à leur développement; d'autres se sont adaptées à des climats moins chauds, tempérés, même froids. Une telle répartition d'espèces n'est pas le fruit du hasard. Elle est le résultat d'une forte compétition entre les espèces dans l'accomplissement de leurs cycles vitaux. Ainsi, chacune d'elles est assujettie à des obligations de fonctions et de comportements particuliers les distinguant des autres espèces. En d'autres termes, chacune exploite une niche écologique[15] précise, c'est-à-dire un ensemble de fonctions qui doivent être accomplies, soit se nourrir grâce à une ressource disponible, se reposer en des lieux accessibles, se déplacer sur un territoire donné, s'accoupler avec des partenaires de même parenté, pondre en un lieu particulier favorable à la croissance

---

15. Attention: contrairement à la perception populaire, une niche, telle que l'entendent les biologistes, n'est pas un endroit physique.

des rejetons. Des études ont démontré que deux espèces différentes ne peuvent occuper une même niche écologique, plus précisément assumer les mêmes fonctions dans un milieu donné; l'une d'elle en sera évacuée subtilement par la compétition. Il faut préciser que plusieurs espèces de moustiques sont présentes en même temps dans une même mare; elles partagent donc plusieurs niches écologiques ou fonctions. En des périodes saisonnières différentes, une même niche pourra soutenir deux espèces qui se succéderont. C'est ce qui fait le *charme* de la parade des espèces de moustiques tout au long d'une saison. Il y en aura toujours quelques-unes sur nos parcours, mais heureusement pas toutes en même temps!

Ainsi, des espèces de moustiques prolifèrent dans des fossés, d'autres dans des mares de forêts, d'autres peut-être trop coincées dans leurs gîtes naturels, profitent de milieux artificiels pour accroître leurs populations et se propager. Certaines ont appris à ne piquer que les grenouilles, d'autres que des oiseaux ou des mammifères, certaines allant chercher leurs repas sanguins chez l'un des groupes, lorsque l'autre n'est pas disponible. Dans le cas de la propagation du VNO, le fait que les moustiques vecteurs se trouvent surtout en milieu urbain, ils profiteront de la présence d'oiseaux ou de mammifères (dont des humains bien présents) pour piquer. Ainsi, comme tous les insectes, les moustiques sont opportunistes! Il peut être difficile de les déjouer, même de tenter de les contrecarrer à l'aide de techniques dites *efficaces*. À moyen terme, il en restera toujours qui combleront les espaces laissés libres par d'autres. Ainsi va la vie, surtout celle des insectes!

Le virus du Nil occidental en toile de fond

Comme agent de propagation du VNO, le moustique peut piquer un oiseau infecté et contracter des particules virales avec le sang ingurgité. Ces dernières passeront un certain temps dans le corps du moustique. Bien que l'on ne possède pas pour le moment de données précises sur le sujet, le moustique ne paraît pas incommodé par le VNO, caractéristique de beaucoup d'animaux vecteurs d'agents pathogènes. Toutefois, chez certaines espèces de moustiques, le virus pourrait se multiplier aux dépens de ces dernières. Les particules virales deviendraient alors plus abondantes; il est donc plausible de croire que certains moustiques porteurs du virus pourraient en être vraisemblablement affectés.

Lorsque des particules virales sont présentes dans le corps du moustique, elles deviennent disponibles pour un animal que le moustique piquera à un prochain repas de sang. À ce moment, le virus se trouve dans le conduit de la trompe piqueuse (surtout après une piqûre récente d'un oiseau infecté) ou dans la salive au moment de la piqûre; il atteint facilement le système sanguin du nouvel hôte, que ce soit un oiseau ou un mammifère, plutôt rarement un humain.

On commence à peine à connaître les modes de transmission du VNO par des moustiques et ses conditions de multiplication, que ce soit chez ce dernier ou chez un animal vertébré. En laboratoire, on constate, par exemple, la présence d'une quantité impressionnante de particules virales dans le corps incluant les pattes de moustiques (dans l'hémolymphe ou liquide interne). Celles-ci peuvent-elles, dans des conditions naturelles, se retrouver à l'extérieur de leur corps? Peuvent-elles contaminer d'autres moustiques, notamment au moment de l'accouplement? Ont-elles des conséquences sur le comportement de ces insectes et même sur leur vie? Voilà quelques questions dont les réponses échappent aux entomologistes, mais qui ouvrent un champ de recherche captivant.

On sait qu'un oiseau mort du VNO est fortement infecté. Le virus a profité de certains tissus de l'oiseau pour se multiplier en des quantités effarantes de particules infectieuses qui peuvent, au moment de la décomposition de ce dernier, se retrouver à différents endroits du corps. Un animal, tel un rapace ou un autre carnivore, pourrait possiblement contracter le virus, notamment si de telles particules venaient en contact avec une blessure non cicatrisée. Pour les humains, existe-t-il d'autres voies d'infection, par exemple certains liquides humectant les yeux, le nez ou la bouche? Il devient donc important de ne pas manipuler un oiseau retrouvé mort sans cause apparente ; si la manipulation est nécessaire, il faut prendre toutes les dispositions pour ne pas toucher directement l'animal.

Encore une fois, la piqûre du moustique demeure le moyen de passage reconnu et certainement majeur du VNO dans le système sanguin d'un animal ou d'une personne. D'autres voies pourraient se présenter, mais pour le moment elles demeurent hypothétiques ; on ne peut quand même pas les écarter, car le cycle du moustique ouvre de multiples possibilités.

Dans les régions où aucun oiseau n'a été déclaré contaminé, les moustiques restent-ils dangereux ?

Il y a peu de risques que les moustiques qui nous piquent puissent être porteurs du VNO. Chez les oiseaux, les représentants de la famille des Corvidés (corbeaux, corneilles, geais, etc.) sont plus sensibles aux effets du virus ; après avoir été infectés par ce dernier, ils meurent en quatre à sept jours. C'est la raison pour laquelle ils ont été désignés comme des indicateurs de la présence du virus. Lorsque des oiseaux n'ont pas été rapportés morts pour des causes inconnues, les possibilités que des moustiques soient infectés par le VNO demeurent très faibles, pour ne pas dire nulles.

Un virus qui s'impose dans le cycle naturel du moustique

Dans l'accomplissement de ses activités, le moustique est soumis aux conditions climatiques. Son cycle vital peut être court si la température est plus élevée, et plus long à des températures plus basses. De plus, pour que ses œufs puissent éclore, il est nécessaire qu'ils soient immergés par l'eau des précipitations ou des débordements de ruisseaux et de rivières. C'est sous forme adulte que le moustique va habituellement s'infecter ; en effet, la femelle, recherchant du sang pour développer ses œufs, peut piquer un oiseau infecté, en l'occurrence un Corvidé, et contracter le virus. C'est de cette façon que le VNO s'est inséré dans le cycle naturel du moustique, l'assurant alors de passer vers d'autres animaux au moment où le moustique piquera une autre fois; l'éventualité d'un second repas sanguin chez la majorité des espèces des régions tempérées demeure un événement plutôt occasionnel, pour ne pas dire rare, faisant suite à l'échec d'un premier repas complet ou à une survie plus longue des femelles exposées à des conditions environnementales plus clémentes qu'à l'habitude. Évidemment, la saison de transmission du virus coïncide avec la période de prolifération des moustiques, du moins cette portion du cycle naturel qui consiste dans la recherche par le moustique d'hôtes à piquer. Toutefois, les espèces les plus susceptibles de véhiculer et de transmettre le VNO produisent plus d'une génération par année; il s'agit donc surtout d'espèces estivales dont les principales sont les *Culex pipiens* et *Culex restuans*, dans l'Est et le Centre de l'Amérique, et des *Culex tarsalis* et *Culex restuans*, dans les régions des Prairies, à l'ouest. D'autres espèces, telle *Aedes vexans*, peuvent aussi devenir d'importants véhicules du virus compte tenu que leur effectif saisonnier peut être fort élevé. L'agression possible par ces espèces s'étale de la seconde partie de juin à la fin de l'été, parfois jusqu'au début de l'automne. Le cycle de transmission du virus devient manifeste plutôt dans la seconde moitié de l'été.

Une autre voie que le virus du Nil emprunte pour être disséminé chez divers hôtes, oiseaux ou mammifères, est le passage par les œufs de moustiques. Des données récentes ont révélé la présence sur le terrain du VNO chez des larves ainsi que chez des adultes mâles de certaines espèces de moustiques; on parle alors d'une *transmission transovarienne* (ou *transmission verticale*) du virus, c'est-à-dire que ce dernier passe à la future génération d'un moustique par l'intermédiaire des œufs d'une femelle contaminée. Déjà à sa naissance, une jeune larve peut être infectée. Devenu adulte, le moustique peut le transmettre au premier animal qu'il piquera. Aussi, les femelles *Culex pipiens*, par exemple, qui auront, tard à la fin de l'été, pris un repas sanguin sur un oiseau infecté, peuvent hiverner et conserver le VNO. Le sang alors ingurgité servira vraisemblablement à soutenir une partie de leurs besoins métaboliques en cours d'hiver, sans pour autant servir à la maturation entière des œufs. À leur sortie printanière, les femelles moustiques chercheront peut-être à piquer à nouveau, risquant ainsi d'infecter les animaux hôtes. C'est là une éventualité qui pourrait expliquer, du moins en partie, le fait que des Corvidés infectés soient enregistrés dès le mois de mai (au Québec, en 2003).

Toutefois, il faut se rappeler que le virus du Nil atteint un moustique principalement au cours d'un repas sanguin. Comme nous l'avons déjà mentionné, il peut arriver qu'une femelle ait été dérangée au moment d'un premier repas ou qu'elle ait besoin de plus de protéines sanguines pour développer ses œufs, notamment pendant une saison estivale aux conditions favorables à ses activités vitales; elle cherchera alors à piquer de nouveau. C'est au moment de ce second repas que la femelle devient susceptible de transmettre le VNO à un autre oiseau, à un mammifère, mais plutôt rarement à un humain.

Chapitre 6

Un intrus dans le cycle naturel des moustiques d'Amérique du Nord

Nous réservons le terme *intrus* au virus du Nil occidental, qui le mérite fort bien! Après une entrée clandestine dans la région new-yorkaise, il s'est propagé dans toute l'Amérique en utilisant passivement des oiseaux et des moustiques endémiques. En réalité, le VNO a profité de ce qui s'offrait à lui. Mais voilà que, depuis 1999, les échantillonnages d'animaux infectés et les analyses qui en ont découlé démontrent que les espèces sont beaucoup plus nombreuses qu'on le pensait, ce qui ajoute à la complexité du cycle de transmission du virus. Outre qu'elles favorisent la propagation du virus, certaines de ces espèces assurent sa présence permanente en Amérique. Toutefois, et on le comprendra bien, de nombreuses questions surgissent quant au comportement des êtres vivants exposés au virus du Nil, tout comme à la persistance de celui-ci sous climat tempéré. Les données tirées d'expertises réalisées à la grandeur du continent sur ces comportements tout comme sur leurs conditions de vie face au virus devraient au cours des prochaines années apporter des réponses fiables pouvant favoriser une protection efficace de la santé publique et animale.

À l'avant-scène, des oiseaux...

Ce sont des corneilles qui sont les premières victimes du VNO retrouvées mortes en août 1999; ça se passe au jardin zoologique du Bronx, et ces volatiles ne sont pas gardés en captivité. Ils y sont attirés par les espaces verts de ce lieu et surtout par la nourriture qu'ils peuvent trouver en abondance. Au moment de leur recensement, nombreuses sont les carcasses d'oiseaux signalées par des citoyens, ailleurs dans la ville de New York. Dès lors, une vingtaine d'espèces sont répertoriées puis enregistrées comme infectées par le VNO. Outre les corneilles, dont le nombre de carcasses dépasse alors les 5 000, on rapporte l'infection de goélands, de mouettes atriciles, de merles d'Amérique, de pigeons, de cormorans, de buses, d'éperviers, de crécerelles et de martins-pêcheurs d'Amérique auxquels s'ajoutent plusieurs oiseaux maintenus en captivité dont le canard colvert, le bihoreau gris, le flamand et le faisan. De plus, des oiseaux exotiques, en captivité au zoo, sont retrouvés morts en septembre de la même année. L'inquiétude grandit, compte tenu du nombre important d'oiseaux touchés, acquis onéreusement et aux frais d'élevage plutôt élevés. Déjà, les spécialistes en santé animale du parc zoologique entrevoient les risques d'une épidémie associée à l'agent pathogène pas encore identifié et certainement responsable des pertes subies chez les populations d'oiseaux de la région de New York.

Une fois l'identité du nouveau virus nord-américain connue, on s'interroge sur les animaux pouvant en être affectés, le conserver ou le transmettre à d'autres organismes dont les humains. Il faut se rapporter à des travaux déjà effectués sur ce virus, notamment en Asie, en Europe et en Afrique. Des études réalisées en Égypte, il y a quelques années, ont révélé que les corneilles sont manifestement très sensibles au VNO, l'infection par celui-ci les conduisant vers un arrêt de leurs déplacements en trois à cinq jours ; les oiseaux peuvent être entraînés vers la mort en une dizaine de jours tout au plus. Lors de ces études, on sait fort bien que des maringouins sont liés à la dissémination du virus par les piqûres qu'ils infligent à des animaux, dont les oiseaux. Le moustique alors reconnu pour transmettre le virus est *Culex pipiens*, espèce cosmopolite bien présente chez nous. Quant aux corneilles faisant l'objet de l'étude, elles sont originaires d'Égypte ; elles appartiennent à une espèce différente de celle d'Amérique du Nord. Par ailleurs, on mentionne qu'un certain pourcentage de corneilles en liberté, mais capturées et vérifiées par les expérimentateurs égyptiens, auraient révélé la présence dans leur sang d'anticorps apparus à la suite d'une exposition au virus. On ajoute aussi que des oiseaux d'autres espèces peuvent être très affectés par le même virus.

Revenons à l'expérience new-yorkaise. Celle-ci permet de constater que les Corvidés (corneilles, geais, corbeaux) sont particulièrement affligés par les infections virales et en meurent très rapidement. Dès lors, ces oiseaux sont retenus comme indicateurs de la présence du virus, non seulement à New York, mais aussi dans toute l'Amérique. De plus, beaucoup d'espèces d'oiseaux sont soupçonnées d'abriter le virus ; on avance la possibilité que les espèces qui entreprennent des migrations ou celles qui sont importées à des fins commerciales puissent être à l'origine de l'entrée du virus du Nil en Amérique. Ainsi, par les piqûres qu'ils infligent et le sang qu'ils ingurgitent, les maringouins peuvent contracter le virus d'un oiseau infecté. Le virus passe alors dans le corps des maringouins. À la suite de l'apparition d'une infection chez ces derniers, il peut se retrouver dans leurs glandes salivaires et la salive. Parfois, un moustique cherche à piquer de nouveau, au moment d'un second repas sanguin. C'est à ce moment que le virus présent dans la salive passe dans le système sanguin d'un nouvel hôte (un mammifère, même un humain), risquant alors de le contaminer, amplifiant par le fait même le bassin d'expansion du virus.

Les oiseaux se font vraisemblablement piquer surtout au cours de leurs périodes de repos, en début ou au cours de la nuit, moments où les maringouins sont particulièrement actifs. Ainsi, comme le comportement du virus est encore mal connu, plusieurs avenues s'ouvrent à l'explication de son processus de dissémination. Par exemple, des particules virales ont été retrouvées dans les déjections d'oiseaux laissés dans les nids et d'autres associées à leurs pattes et à leur plumage ; ces particules pourraient, durant un certain temps (peut-être quelques jours), être véhiculées sur certaines distances, puis contaminer d'autres oiseaux lorsqu'ils partagent les mêmes aires de repos ou au moment de l'accouplement (à moins que la santé et le comportement des oiseaux infectés soient trop perturbés par le virus, ce qui est toujours possible).

Nombreuses sont les espèces d'oiseaux rapportées qui sont infectées. Ainsi, au Québec seulement, une quinzaine d'espèces s'inscrivaient sur cette liste en 2003. L'inventaire des oiseaux trouvés infectés jusqu'à ce jour ne reflèterait qu'une petite partie de la véritable situation ; le grand public ayant été invité à signaler surtout les Corvidés trouvés morts, d'autres groupes d'oiseaux tués par une telle infection ont certainement été ignorés ou tout au moins négligés. Pour l'Amérique du Nord, quelque 200 espèces d'oiseaux (22 ordres, 57 familles) seraient susceptibles d'être touchées par le VNO, certaines plus durement que d'autres. Il peut être opportun de mentionner que la corneille d'Amérique, animal réservoir fortement affecté par le virus, ne se serait implantée que récemment en forêt boréale ; elle aurait alors bénéficié des déchets laissés par les vacanciers et aurait rejoint du coup l'habitat de plusieurs espèces de moustiques. Elle se trouve aussi dans les quartiers urbanisés, retenue par la nourriture disponible souvent à longueur d'année. Là aussi, elle est exposée aux piqûres de moustiques locaux.

Parmi les carcasses d'oiseaux rapportées, la présence de rapaces demeure inquiétante et soulève de grandes questions. Ces oiseaux de proie s'infectent-ils du virus du Nil en dévorant les restes de leurs proies (oiseaux et petits mammifères) mortes infectées ou en venant en contact avec, simplement ? Bien que, dans leurs déplacements, les moustiques puissent se retrouver à des hauteurs dépassant dix mètres, il n'est certainement pas fréquent qu'ils cherchent à piquer ces rapaces juchant le plus souvent à des altitudes plus importantes. Ces oiseaux sont-ils piqués au sol pendant qu'ils mangent une proie ? La dissémination aussi large du VNO peut-elle mettre en péril des populations entières de tels chasseurs de proie ou même de certaines espèces à l'effectif déjà réduit par la disparition progressive de leur habitat naturel ou par l'effet nocif de pesticides sur leur couvée ? À l'instar de ce qui s'est passé pour des oiseaux dont des corneilles d'autres continents, ces rapaces et d'autres groupes d'oiseaux d'Amérique seront-ils en mesure d'acquérir une immunité au virus ? Voilà des questions soulevant le besoin d'études et de recherches sur le sujet. Il apparaît essentiel et urgent de bien connaître l'amplitude des décès chez des oiseaux forestiers qui ont reçu jusqu'à maintenant peu d'attention dans les relevés des mortalités liées au virus du Nil.

... dans des rôles de soutien au virus

Certains animaux sont plus susceptibles que d'autres d'être infectés par des agents pathogènes comme les bactéries et les virus. Ils deviennent les hôtes de ces derniers qui profiteront de leur corps (organes ou sang) pour se multiplier pendant une période de temps parfois très courte. C'est alors qu'ils peuvent leur causer préjudice en puisant dans leurs tissus et en perturbant leur fonctionnement. Une telle présence peut s'avérer fatale pour les animaux hôtes ; ceux-ci sont alors qualifiés de *réservoirs du microbe.*

Dans le cas du virus du Nil occidental, des oiseaux semblent assumer ce rôle de réservoir. C'est sur eux que des maringouins l'obtiennent et s'infectent. Serait-ce un rôle exclusif assumé par des oiseaux? Nous le saurons au cours des prochaines années. Toutefois, rappelons que des groupes d'animaux considérés comme des réservoirs d'un agent infectieux peuvent développer une défense immunitaire efficace les amenant à neutraliser ce dernier. Leur système de défense implique alors la formation d'anticorps qui empêcheront l'activité de multiplication du microbe ; ainsi, selon le degré d'efficacité de leur système immunitaire, des animaux peuvent devenir non contagieux, le microbe concerné ne survivant pas à leur défense. Par contre, le microbe peut entraîner la mort de l'animal si celui-ci échoue dans sa tentative naturelle de contrecarrer ses effets. C'est ce qui se passerait chez bon nombre d'espèces d'oiseaux nouvellement exposées au VNO depuis son arrivée en Amérique.

Le virus du Nil occidental passe par une période d'incubation de quelques jours dans l'animal infecté à la suite de la piqûre d'un moustique contaminé, le temps de se multiplier, de devenir mortel ou d'être neutralisé par les anticorps développés ou présents dans l'animal. On comprendra que les animaux, dont des humains jeunes ou dans la force de l'âge, ont de bonnes chances de s'immuniser ou de se protéger contre le VNO; d'autres animaux peuvent en revanche éprouver de la difficulté à se munir d'une telle défense. Par ailleurs, on remarque que certains oiseaux peuvent porter le virus du Nil plusieurs semaines avant qu'il se manifeste.

Ainsi, de nombreuses espèces d'oiseaux semblent servir de réservoirs au virus du Nil. Ce sont les Corvidés qui demeurent les plus célèbres pour assumer ce rôle. Une présence, depuis trois jours, du virus chez ces oiseaux est suffisante pour les rendre fortement infectés à la suite de la piqûre d'un maringouin porteur. Également, des oiseaux migrateurs pourraient toujours le propager vers de nouvelles régions et ainsi participer à sa dissémination. Pendant les rassemblements dans leurs haltes migratoires, des oiseaux constituent d'importantes ressources sanguines accessibles pour des moustiques. Parmi ces oiseaux effectuant de grands déplacements printaniers, les merles par exemple pourraient véhiculer le virus du Nil et le propager à d'autres oiseaux par l'intermédiaire de moustiques ou en servant de nourriture à leur mort; les corneilles ont l'habitude de se nourrir de tels cadavres. C'est l'exemple d'une de ces situations qui pourraient amplifier la fonction de réservoir assumée par les oiseaux.

Des moustiques comme figurants...

Avant 1999, on reconnaissait à plus de 50 espèces de moustiques la forte probabilité d'être infectées par le virus du Nil ainsi que la possibilité qu'elles puissent le véhiculer et le transmettre à des hôtes alors qu'elles les piqueront. Ce nombre touche une partie des pays d'Afrique, d'Europe centrale et du Moyen-Orient, mais exclut l'Asie et l'Océanie. Pour l'Amérique du Nord, c'est au moins une quarantaine d'espèces, la plupart différentes des autres continents, qui sont soupçonnées d'être infectées et de transmettre le virus. Ainsi, dans le monde, près d'une centaine d'espèces de maringouins pourraient être associées à la transmission du VNO et aux problèmes de santé qui peuvent en découler.

On a même découvert, dans les réseaux de transport souterrains (métro) des grandes villes du monde, la présence de maringouins adultes bien inféodés à l'environnement urbain qui peuvent profiter de la présence des milliers d'usagers pour piquer. À New York, au printemps 2000, le signalement de tels maringouins infectés par le VNO ajoutait aux connaissances sur la problématique de conservation et de dissémination du virus du Nil ainsi qu'aux craintes soulevées. Parmi ces insectes, les femelles de quelques espèces dont *Culex pipiens* réussissent à passer l'hiver malgré les basses températures, dans des abris tels les terriers d'animaux, les creux d'arbre, les bâtiments de ferme et parfois dans les habitations; elles peuvent alors compter sur des hôtes immédiatement disponibles pour piquer tôt au printemps. Toutefois, il y a peu de risques qu'elles soient déjà infectées puisqu'elles n'ont pas toujours l'occasion de piquer avant la saison hivernale; cependant, il demeure toujours possible qu'elles aient pris un repas sanguin sur des oiseaux contaminés à la toute fin d'été ou en début automne et soient entrées rapidement dans leur période de repos.

... dans le rôle de vecteurs du virus

D'ores et déjà, on attribue à des moustiques la transmission du virus du Nil à des oiseaux ou à des mammifères dont des humains[16]. En transférant ainsi un tel agent pathogène, ils tiennent le rôle de vecteurs du virus. Cependant, ce ne sont pas toutes les espèces qui doivent être mises sur la sellette. De plus, il ne faut pas croire que tous les individus d'une même espèce de moustique sont infectés et qu'ils vont véhiculer ce virus, surtout que l'effectif de leurs populations est toujours très élevé; les probabilités que certains d'entre eux puissent s'infecter sur un oiseau contaminé demeurent somme toute faibles.

Par ailleurs, pour le moustique, il existe une condition essentielle pour qu'il soit porteur et vecteur du VNO: il faut qu'il

---

16. On considère toujours la piqûre d'un maringouin infecté à l'origine d'une transmission du VNO chez les humains (mis à part les cas exceptionnels de transfusions sanguines et de dons d'organe).

ait piqué un oiseau déjà infecté, situation rare si l'on considère l'ensemble des oiseaux, mais plus fréquente chez les Corvidés, notamment les corneilles chez lesquelles le pourcentage d'individus contaminés peut être élevé. Les espèces de moustiques concernées par le VNO sont surtout ornithophiles dans leur mode de vie, c'est-à-dire qu'elles recherchent plutôt des oiseaux comme hôtes pouvant leur procurer du sang. À la suite d'une piqûre, le virus provenant d'un oiseau infecté n'est pas nécessairement en forte densité dans le sang ingurgité par le moustique; une incubation du virus est nécessaire chez ce dernier, dans un délai de cinq à quinze jours suivant le repas sanguin. Si l'insecte ne prend pas un second repas sanguin, le virus restera dans son corps et ne sera pas transmis à un autre animal. Jusqu'à présent, rien ne laisse croire à une indisposition du moustique à la suite d'une infection au virus du Nil.

Pour être un vecteur efficace du virus, il faudra que le maringouin pique une seconde fois. Sous des climats tempérés, cette seconde prise de sang n'est pas généralisée, alors qu'en régions tropicales et subtropicales, elle peut se répéter quelquefois chez de nombreuses espèces. Cependant, chez une même espèce de moustique, ce ne sont pas toutes les femelles qui piqueront une seconde fois, les conditions environnementales n'étant pas toujours favorables et l'accès à des hôtes à piquer parfois limité ou nul. Évidemment, il faudra que les moustiques infectés puissent passer à travers les épreuves normales de leur vie, déterminées surtout par les prédateurs et les conditions environnementales. Pas facile d'être un vecteur accompli!

Plusieurs moustiques semblent s'approprier le rôle de vecteur

Au moins une quarantaine d'espèces de moustiques en Amérique du Nord, dont plus d'une vingtaine au Québec sont reconnues comme porteuses potentielles du virus du Nil. Parmi ces espèces, quelques-unes seront plus associées que la plupart des autres à la transmission du virus. Bien que la majorité colonisent les marécages et les mares qui se forment en forêt, d'autres se retrouvent à proximité ou au cœur d'agglomérations urbaines et suburbaines, attirées souvent par l'eau accumulée dans des récipients. Ce sont surtout ces dernières espèces qu'il faut particulièrement surveiller, bien qu'il ne faille pas négliger celles qui affectionnent les milieux naturels. Ainsi, au Québec tout comme dans l'ensemble de l'Amérique, des moustiques sont maintenant des vecteurs reconnus ; c'est le cas, notamment au Québec, des *Culex pipiens* et *Culex restuans*, espèces retrouvées dans divers plans d'eau stagnante tout au cours de l'été, mais bien présentes en zones urbanisées, de *Coquillettidia perturbans*, très abondante dans les marécages, de *Ochlerotatus canadensis,* qui se trouve surtout en début d'été dans les mares de forêts, de *Aedes vexans,* visible dans les dépressions au sol en milieux ouverts et en bordure de forêt et de *Anopheles punctipennis,* colonisant les mares issues du débordement de cours d'eau ainsi que les fossés dans lesquels la végétation telles les quenouilles a pris racine. Cette dernière espèce, tout comme *Culex pipiens,* peut aussi passer l'hiver sous forme adulte. Jusqu'à aujourd'hui, ces espèces se sont avérées porteuses du virus au Québec alors que, en Ontario, il faut en ajouter une dizaine dont les plus importantes sont les *Culex salinarius, Ochlerotatus triseriatus* et *Ochlerotatus trivitatus*; les deux premières sont aussi présentes au Québec. En plus de *Ochlerotatus triseriatus,* peu abondante en nature, vivant dans l'eau de creux d'arbre comme dans les pneus abandonnés, il faudra porter une attention particulière à *Ochlerotatus japonicus,* récemment apparue en Amérique, dont au Québec (2000), et qui semble convoiter les milieux artificiels endogés tels les puisards ; ces espèces sont reconnues comme étant des vecteurs potentiels du VNO, des travaux en laboratoire l'ayant vérifié.

Bien que l'on ne connaisse pas l'origine géographique lointaine de chacune des espèces de moustiques présentes chez nous, il semblerait, dans le cas des deux premières espèces, que leur association avec les humains et leurs animaux de compagnie n'est pas récente. En effet, les *Culex pipiens* et *Culex restuans* trouveraient leurs origines lointaines en zones tropicales, mais seraient en terre d'Amérique depuis un bon bout de temps. Le VNO étant aussi d'origine tropicale, il ne serait pas surprenant que beaucoup de *Culex* en soient de bons véhicules, sans pour autant en souffrir. Dans leur recherche d'une niche écologique qui leur serait propre, sous des latitudes tempérées, ces moustiques ont tenté, avec succès, de s'accaparer de niches inoccupées pour réaliser leurs fonctions vitales.

Ainsi, l'espèce *Culex pipiens*, après avoir suivi les humains depuis le berceau africain jusqu'en Asie, puis vers l'Europe, a toujours trouvé des hôtes à piquer, privilégiant les bêtes accompagnant les hommes, notamment les oiseaux, mais aussi les chiens, les chats et même le bétail. Occasionnellement, ce moustique piquait les humains, puisqu'il devait aussi se trouver dans les grottes, les abris, les campements et les terriers divers. D'ailleurs, *Culex pipiens* s'est établie en Amérique après avoir profité des cales et des réserves d'eau des bateaux des colonisateurs pour se développer. Il n'est pas étonnant qu'elle soit aujourd'hui associée aux égouts pluviaux, aux fossés, aux récipients métalliques ou de plastique, aux caves, aux caniveaux. Elle arrive même à passer l'hiver sous forme adulte dans divers abris. Cette espèce est aussi appelée *House Mosquito* pour son habitude à se tenir dans des gîtes avoisinant les maisons ou à l'occasion à l'intérieur de celles-ci. Elle est aussi reconnue comme pouvant transmettre le virus de l'encéphalite équine de l'Ouest et le virus de l'encéphalite de Saint-Louis ainsi que le ver du cœur affectant le chien.

Quant à *Culex restuans*, sa présence en Amérique serait beaucoup plus ancienne. L'espèce a certainement recherché des refuges naturels (terriers, souches) pour s'abriter au cours des hivers. Elle affectionne aussi les dépressions le long des rivières et les récipients en milieux urbanisés, dont les pneus abandonnés, ou entreposés à ciel ouvert. Elle pique beaucoup les oiseaux, mais à l'occasion les mammifères. La femelle peut passer l'hiver sous forme adulte. Comme l'espèce précédente, elle est d'intérêt médical et vétérinaire, pouvant être associée aux cas d'encéphalite équine de l'Est, de l'Ouest et à la transmission du virus de Saint-Louis. Toutefois, elle ne piquerait que rarement les humains. Tout comme *Culex pipiens*, elle engendre plusieurs générations au cours de la belle saison et peut persister jusque tard à la fin de celle-ci.

D'autres moustiques au rôle plus effacé

Selon des études réalisées en laboratoire, plusieurs autres espèces de moustiques se sont révélées susceptibles de véhiculer le VNO ; elles semblent même contracter facilement le virus lorsque celui-ci est présent chez un hôte qu'elles piquent. Les femelles de ces espèces deviennent en quelque sorte des vecteurs passerelles pour le virus lorsqu'elles l'obtiennent chez un oiseau infecté et le transmettent à un mammifère au moment d'une seconde piqûre. Ce rôle de passerelle apparaît plus discret, les espèces de moustiques concernées n'obtenant que de façon aléatoire le virus. Toutefois, elles compliquent le cycle de transmission virale, car elles s'ajoutent aux moustiques véritablement vecteurs. Dans une région donnée, elles contribuent certainement à maintenir le virus. On connaît mal toute la dynamique de la transmission, certaines espèces s'avérant beaucoup plus actives dans un tel mécanisme. Ainsi, il n'est donc pas étonnant que le virus trouve, en Amérique, de nombreux véhicules l'amenant à se disséminer partout dans le continent.

Ce qui pourrait ajouter à la complexité du cycle vectoriel, c'est que des moustiques semblent aussi s'infecter dans l'accomplissement de certaines de leurs fonctions. Ainsi, au moment de leur accouplement, mâles et femelles s'échangeraient le virus ; on a découvert des quantités impressionnantes de particules virales sur le corps et les pattes de nombreux spécimens.

Cycle de transmission du virus du Nil occidental

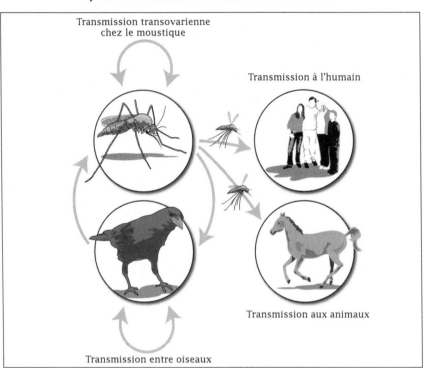

Transmission transovarienne chez le moustique

Transmission à l'humain

Transmission aux animaux

Transmission entre oiseaux

Adapté de Michel Couillard, *in* «Le Médecin du Québec», vol. 37(5), 2002. Avec la permission de l'éditeur.

Considérations additionnelles sur les moustiques potentiellement vecteurs

Nous n'en sommes qu'à l'étape d'implantation du virus du Nil occidental en Amérique. On connaît peu les conditions de sa dissémination, les effets actuels ou éventuels qu'il pourrait avoir sur les animaux infectés, ainsi que le nombre d'espèces de moustiques pouvant constituer des vecteurs véritables ou agissant comme passerelles. Toutefois, on sait que des *Culex*, notamment les *Culex pipiens* et *Culex restuans*, en seraient des vecteurs reconnus fort efficaces. D'ailleurs, dans les Prairies (Ouest de l'Amérique), une autre espèce de *Culex*, soit la *tarsalis*, est considérée comme le principal vecteur du VNO. Dans ces régions, l'espèce en question colonise les zones rurales alors que, dans les régions plus à l'est, d'autres *Culex* véhiculent le virus surtout en zones urbaines et suburbaines. On constate aussi que la période estivale d'activités de transmission manifeste du virus par les moustiques se situe entre le début du mois d'août et la mi-septembre. À ce moment, aux *Culex* impliquées s'ajoute notamment l'espèce *Aedes vexans* colonisant les plans d'eau formés par les pluies dans les champs et les fossés; aussi, d'autres espèces pourraient prendre une part plus active qu'on le croit dans le cycle de transmission. Mais, de la fonte des neiges au printemps jusqu'à l'arrivée des premières gelées d'automne, les moustiques sont actifs et le virus toujours présent!

Au Québec, les quelques espèces de moustiques trouvées infectées ont révélé des adaptations intéressantes au point de vue écologique, mais préoccupantes pour la mise sur pied de moyens de lutte contre certaines de leurs populations. La première espèce, la plus inféodée au milieu urbain, *Culex pipiens*, recherche le plus souvent des gîtes artificiels récoltant l'eau des précipitations à proximité d'habitations et de bâtiments divers. À de tels gîtes relativement faciles d'entretien s'ajoutent les puisards et autres conduits souterrains dont l'accès peut être plus difficile. La seconde espèce, *Culex restuans*, aussi associée à divers objets récipients, pourrait profiter notamment des pneus abandonnés pour augmenter son effectif aux abords de zones habitées; toutefois, des mesures actuelles de disposition et de recyclage de ces pneus pourraient limiter sa propagation en milieu urbain. De plus, nous l'avons signalé, ces deux premières espèces sont en mesure, sous forme adulte, de traverser les hivers en milieux plus fermés, entraînant alors une surveillance étroite de leur présence possible en des endroits plutôt inusités. La troisième espèce, *Coquillettidia perturbans*, colonise les fossés et les milieux marécageux parfois contigus aux zones urbaines et suburbaines; ses larves présentent une adaptation pour le moins étonnante: elles tirent leur oxygène à partir de l'air présent dans les tiges de plantes aquatiques (par exemple les quenouilles) auxquelles elles se fixent sous la surface de l'eau. Une telle adaptation pourrait les amener à se soustraire à d'éventuelles interventions de lutte dans le milieu. Une quatrième espèce trouvée infectée au Québec, *Ochlerotatus canadensis*, affiche une distribution très vaste. Elle colonise surtout des mares à feuilles, très nombreuses en bordure ou en pleine forêt ainsi que le long des cours d'eau ; la superficie des mares alors retenues peut être très grande, l'espèce y développant des populations à l'effectif plutôt élevé pendant une partie de la saison estivale. Enfin, *Aedes vexans* et *Anopheles punctipennis*, la première colonisant les plans d'eau alimentés par les précipitations et la seconde les fossés dans lesquels la végétation s'est développée, peuvent perdurer jusqu'à la fin de la saison estivale et au début de l'automne ; les femelles *Anopheles* peuvent aussi passer les hivers sous forme adulte.

Au cours des prochaines années, d'autres espèces s'ajouteront certainement à celles qui ont déjà été recensées comme porteuses du VNO. Chacune d'elles aura ses habitudes de vie et, surtout, colonisera des gîtes particuliers. Il devient donc important de les connaître aussi bien dans leurs cycles vitaux que dans les caractéristiques de leurs habitats.

Des vecteurs suspects toujours dans l'ombre

Le pelage des mammifères et le plumage des oiseaux comportent de petites bestioles qui doivent aussi prélever du sang, cette fois pour se nourrir et se développer. Ce sont des puces, des poux et des tiques (acariens), parfois fort abondants, non seulement sur les animaux, mais aussi dans leurs terriers et nids respectifs. Véritables parasites, les mâles et les femelles s'en donnent à cœur joie sur leurs hôtes qui, en période de crise, doivent constamment se gratter ou se picorer la peau. Heureusement que puces et poux se restreignent à des hôtes qui leur sont plutôt spécifiques, limitant ainsi chez ces derniers les risques d'une transmission toujours possible du VNO. Il n'est pas étonnant que des poux et des tiques aient été trouvés infectés par le virus du Nil dans certains pays africains et asiatiques. En régions tempérées, peut-être n'est-ce qu'une question de temps avant que nous les ajoutions à la liste des porteurs. Le seraient-ils déjà ?

De tels petits organismes, bien présents et en abondance (les acariens peuvent se présenter par centaines de milliers dans les nids d'oiseaux), pourraient ajouter à la complexité du cycle de transmission et de dissémination du virus du Nil en territoire nord-américain; ils exploitent l'oiseau ou son nid comme un véritable écosystème où ils peuvent s'y nourrir, croître et se reproduire. Il est plausible de les considérer comme des amplificateurs possibles de la dissémination du virus, par exemple chez les membres de toute une portée d'oiseaux. On comprendra aussi pourquoi les moustiques peuvent devenir rapidement infectés, compte tenu de la facilité qu'ils ont de piquer les oisillons qui ne volent pas et qui peuvent être porteurs du VNO, ou les adultes accessibles à proximité des nids.

L'humain, un accident de parcours!

Dans la longue histoire naturelle des moustiques et des autres insectes piqueurs, les humains font piètre figure comme hôtes. Il faut plutôt bien l'accepter! Toutefois, un tel constat peut ne pas nous paraître évident devant les hordes impressionnantes de moustiques qui nous assaillent chaque année. En réalité, ces derniers sont inféodés à des milieux naturels où ils retrouvent depuis des millions d'années divers hôtes pouvant contribuer à leurs cycles vitaux. Toutefois, nous leur avons offert des environnements propices à leur expansion. Par exemple, l'abandon des terres agricoles et l'empiètement marqué des banlieues urbaines sur les milieux naturels ont eu pour effet de bloquer l'écoulement normal des ruisseaux et de former des dépressions favorables à la rétention de l'eau des précipitations ou des débordements de rivières. De plus, dans le cadre de la dissémination du VNO, la création de gîtes artificiels notamment en milieu urbain est devenue préoccupante. Dans tous ces nouveaux environnements, les moustiques y trouvent des refuges importants les amenant à augmenter de façon non négligeable leurs populations. Aussi, ils peuvent compter sur notre présence *serviable* pour convoiter nos protéines sanguines! Cependant, ils sont beaucoup plus nombreux dans les écosystèmes naturels où les espèces peuvent assurer leur pérennité certainement bien au-delà de celle des humains.

Au juste, qu'en est-il du virus du Nil occidental?

Au point de vue génétique, la souche virale entrée en Amérique serait fortement apparentée à une souche isolée chez un oiseau (une oie) en Israël en 1998, mais considérée comme beaucoup plus virulente que cette dernière. Ce virus est classé dans la famille des togaviridés et dans le groupe des *Flavivirus*[17]. Par sa composition, on le dit *virus à ARN* (acide ribonucléique, par rapport à ADN, celui-ci étant une composante des chromosomes et porteurs des caractères génétiques, aussi appelé *acide désoxyribonucléique*; l'ADN et l'ARN font partie du matériel d'une cellule). L'ARN du virus du Nil est englobé dans une capsule protectrice faite de protéines; en réalité, une particule virale. Les biologistes le désignent souvent comme un *arbovirus* pour la simple raison qu'il affectionne, sans les tuer, les arthropodes, ces animaux invertébrés portant des membres articulés, tels les insectes, les araignées, les crustacés. Le mot *arbovirus* est le résultat de la contraction d'une expression anglophone, ***arthropod borne virus***.

Il apparaît opportun de signaler que le virus du Nil, comme tout autre virus d'ailleurs, est de taille si petite qu'il ne peut être observé à l'aide d'un microscope ordinaire. On utilise le plus souvent des techniques biochimiques très complexes pour détecter rapidement sa présence. La souche qui sévit en Amérique du Nord affectionne particulièrement les oiseaux de la famille des Corvidés chez qui on peut retrouver des dizaines, voire des centaines de milliards de particules infectieuses dans le sang. L'infection est tellement fulgurante qu'une corneille peut en mourir en quatre jours.

Comment le virus se transmet-il aux animaux et aux humains?

Par sa piqûre, la femelle du maringouin ingurgite une infime quantité de sang qu'elle entrepose dans la première partie de son tube digestif, en l'occurrence des ampoules ou diverticules de

17. Le terme vient du latin *flavus*, «jaune», et est associé en premier à la fièvre jaune, maladie importante liée à un virus de cette famille et également véhiculée par des moustiques.

son pharynx. Ces ampoules, très extensibles, sont des lieux de digestion, donc de dislocation des protéines sanguines en des produits plus simples, les acides aminés. Ceux-ci, avec d'autres éléments nutritifs, passeront dans une portion plus en aval du canal digestif où ils seront assimilés. Quant au virus obtenu après la piqûre sur un oiseau infecté, il s'installe notamment dans les glandes salivaires du moustique après avoir traversé les parois de son tube digestif.

Le virus passe dans le sang d'un hôte au moment où la femelle pique et injecte sa salive; rappelons que le moustique a obtenu le virus lors d'un repas sanguin pris sur un animal infecté, habituellement un oiseau. La transmission du virus à un hôte non infecté se fera au moment d'une seconde prise de sang par le moustique. Ainsi, pendant cette seconde piqûre, le virus passe dans un capillaire sanguin d'un nouvel hôte sélectionné par le moustique. C'est alors qu'un animal, oiseau, cheval, humain, etc., pourra devenir infecté par le VNO à moins qu'il ne possède un système de défense immunitaire en bonne forme pour contrecarrer toute multiplication de celui-ci.

Les chasseurs qui doivent procéder au dépeçage de leur gibier doivent-ils être prudents?

Il est fortement recommandé de porter des gants, puisque des particules virales et autres agents pathogènes peuvent se retrouver dans le sang d'un animal abattu; aussi, la manipulation des viscères et surtout la présence d'os brisés pouvant percer les gants et blesser la peau sont à surveiller.

D'autres sources d'infection maintenant confirmées

Toute infection impliquant le sang laisse planer des inquiétudes liées aux divers modes de transmission possibles du microbe responsable. Conséquemment à l'annonce des premières victimes du virus du Nil occidental, des craintes ont surgi relativement aux transfusions sanguines. Elles étaient fondées, puisque dès 2001 des Américains puis en 2002 des Canadiens (Ontario) ont été déclarés infectés par le virus dans les jours et les semaines qui ont suivi des transfusions. En 2003, des provinces de l'Ouest canadien ont décidé, après avoir pris connaissance d'un avis de la Croix-Rouge, de retarder ou d'annuler certaines collectes de sang, plusieurs donneurs ayant été trouvés porteurs du VNO. À la suite du constat de ce mode de transmission possible, il n'en fallait pas plus pour qu'on établisse aussi un lien entre des cas d'infection et des greffes de tissus et d'organes. Enfin, aux États-Unis, on confirmait au moins un cas de contamination par allaitement maternel.

Une telle propagation du virus du Nil occidental demeure difficile à suivre ou à prévoir, des personnes porteuses n'ayant le plus souvent pas manifesté de symptômes apparents. Ainsi, dès juillet 2003, les services de santé canadiens et américains appliquaient des mesures de dépistage du VNO, notamment dans les réserves de sang et les produits sanguins dérivés. On prévoit même constituer des réserves de sang en dehors de la période d'activité des maringouins. En raison des nombreux modes de transmissions possibles découverts, il semble qu'une attention particulière soit apportée aux banques de spermatozoïdes qui, elles aussi, pourraient faire l'objet d'infections par le virus.

Des sources de contamination inattendues et inquiétantes

Un autre mode de transmission du virus du Nil est maintenant retenu, tout au moins pour les oiseaux chez lesquels il a été vérifié en laboratoire et appréhendé chez plusieurs espèces en nature. C'est la transmission par contact d'individus les uns avec les autres. Ici, il n'est plus question d'un passage du virus par le sang, mais plutôt à partir du plumage, du bec ou des pattes d'un oiseau. En laboratoire, dans des cages dépourvues de tout moustique, des oiseaux sains non porteurs du VNO ont été contaminés lorsqu'ils ont été mis en présence d'autres oiseaux déjà infectés ou après avoir ingurgité de l'eau renfermant des particules virales. Ainsi, ces particules virales pouvant être expulsées du corps avec les déjections risquent de se retrouver dans les nids et contaminer tout au moins le plumage d'oisillons ou d'oiseaux matures. Des blessures non cicatrisées ou tout simplement les muqueuses des yeux, des narines ou de la bouche pourraient-elles permettre au virus d'infecter ces animaux?

Enfin, autre source possible de dissémination non négligeable du virus, les mouches qui se précipitent sur la carcasse d'un oiseau mort infecté pourraient transporter des particules virales présentes sur leurs pattes ou leurs pièces buccales lécheuses vers d'autres animaux sur lesquels elles se posent, recherchant souvent les plaies sur le corps de ces derniers. Ne sont-elles pas déjà reconnues comme d'importants, sinon les plus efficaces, vecteurs de microbes et de parasites? De plus, elles se délectent de matière en décomposition, abondante dans les terriers et les nids, ce qui peut les amener à disséminer de telles particules virales vers de jeunes mammifères ou des oisillons.

Et l'humain? La voie infectieuse reconnue et certainement majeure demeure la piqûre d'un moustique déjà atteint par le VNO. Il apparaît pertinent de le rappeler. De plus, la possibilité qu'un moustique soit porteur du virus du Nil est somme toute faible, compte tenu de leur abondance habituelle. Toutefois, les personnes vivant à proximité surtout de gîtes artificiels pour les espèces déjà soupçonnées de véhiculer le virus demeurent plus exposées à le contracter; même celles qui sont en bonne santé ne sont pas à l'abri.

Il y a toujours danger de contracter le virus par simple contact avec la carcasse d'un animal contaminé, bien que peu de données existent sur le sujet pour le moment. De rares cas d'infection de personnes travaillant en laboratoire venues en contact avec des carcasses d'oiseaux infectés ont été rapportés, malgré les précautions prises. Bien qu'il n'y ait pas plus de preuves formelles selon lesquelles une personne se soit infectée en manipulant une carcasse d'oiseau ou de tout autre animal mort, l'utilisation de gants diminue certainement les risques et atténue les craintes à ce sujet. Il est toujours possible que les particules ultramicroscopiques du VNO empruntent une voie constituée par une plaie (entrée directe) ou les voies nasales (entrée par inhalation), risquant alors de contaminer une personne ayant manipulé un animal infecté ; mais rien n'a pu être confirmé à ce propos jusqu'à ce jour. Une chose apparaît certaine : le système immunitaire de chacun de nous doit ou devra réagir face à ces éventualités. Faudrait-il examiner de près la possibilité que de petits mammifères (de la souris des champs à la moufette) puissent aussi s'infecter par des piqûres de moustiques ou à même la litière de leurs terriers puis propager le VNO au hasard des contacts ? La découverte en février 2003 dans l'État de New York, donc en plein hiver, d'un oiseau rapace mort infecté, soulève des interrogations sur la façon qu'il aurait contracté le virus ; elle ouvre aussi les discussions sur divers modes de transmission qui pourraient se révéler au cours des prochaines années. Les consignes de sécurité mises de l'avant par les responsables des services de santé publique doivent être mises en pratique ; il en va de la quiétude et surtout de la santé de chacun.

Voilà un cycle de transmission viral beaucoup plus complexe qu'on l'aurait cru au départ et auquel on devra accorder des priorités en recherche !

En camping, les risques de contracter le VNO sont-ils plus élevés qu'en ville ?

Non. Les moustiques qu'on trouve en forêt ou à proximité de ce type de milieu n'apparaissent pas jusqu'à présent comme des vecteurs importants du virus du Nil. Toutefois, les aménagements des services utilitaires des terrains de camping ainsi que les lieux de disposition de déchets peuvent offrir des sites de reproduction et de développement pour certaines espèces (cas des *Culex*) recherchant de tels environnements. Encore ici, le respect des normes habituelles de salubrité et de disposition d'objets récipients peut empêcher la venue d'espèces de moustiques porteuses du VNO.

Le plus souvent aucun symptôme

Il est bon de rappeler que la très grande majorité des moustiques cherchant à piquer sélectionnent des hôtes autres que les humains. Aussi, ceux qui rejoignent une personne présentent peu de risques d'être infectés par le virus du Nil. Par ailleurs, la piqûre d'un maringouin déjà infecté n'entraînerait des symptômes que chez moins de 20% des gens piqués, soit une personne sur cinq. Les manifestations d'une grippe commune[18] peuvent alors affecter la personne touchée, mais le plus souvent elle n'en sera même pas incommodée : le virus n'est pas en quantité suffisante ou il est neutralisé par l'immunité personnelle. Dans les rares cas où certaines manifestations cliniques apparaissent, elles se traduisent, 10 à 15 jours suivant la piqûre d'un moustique infecté, par une fièvre accompagnée parfois de symptômes dont des céphalées, des éruptions cutanées, des douleurs oculaires et musculaires, et des troubles gastro-intestinaux.

L'éventualité d'une affection plus grave, soit une encéphalite, reste faible. Ainsi, 80% des personnes piquées par un moustique infecté ne montreront aucun symptôme alors que 19% pourront en manifester ; mais moins de 1% pourront être plus affectés, développant alors une encéphalite ; prises à temps et recevant les soins appropriés, ces personnes seraient en mesure de récupérer. Par contre, l'expérience de Toronto en 2002 a révélé des risques d'apparition de séquelles possibles mais non moins importantes chez certaines personnes touchées dont une paralysie flasque, une fatigue extrême et le syndrome de Guillan-Barré.

Dans les cas extrêmes, une personne peut souffrir de problèmes d'ordre neurologique. Cependant, il est connu que celle qui souffre déjà d'une faiblesse de son système immunitaire demeure plus à risques que celle qui est en condition physique normale. Chez cette personne vulnérable, le virus ne rencontre que peu d'opposition et arrive à s'installer plus facilement dans ses tissus et ses cellules. Les personnes vulnérables demeurent donc celles qui affichent un système immunitaire affaibli, soit par une maladie actuelle ou récente, soit en raison d'un âge plus avancé ; elles pourraient avoir de la difficulté à contrecarrer les effets du virus, mais aussi ceux d'autres agents pathogènes.

---

18. Manifestations correspondant à une courte période de virémie ou de multiplication du virus.

Il semblerait que ce fut le cas du premier décès enregistré au Québec: une personne âgée de 83 ans aurait déjà été affaiblie par des complications pulmonaires.

Chez les enfants en voie d'élaborer leur système de défense naturelle face aux microbes, les effets du VNO semblent demeurer bénins; malgré les craintes initiales, les résultats enregistrés jusqu'à ce jour indiqueraient que les enfants seraient moins à risques (en 2002, moins de 2% des cas d'infection touchaient les enfants de moins de 9 ans). Aussi, lorsque l'immunité se développe à la suite d'une exposition au virus, elle deviendrait efficace pour de très nombreuses années, sinon pour la vie. Des études devront ajouter aux connaissances actuelles. Nous n'en sommes qu'en début d'implantation du VNO en Amérique; aussi faudrait-il tenir compte, selon les régions considérées, du pourcentage que représentent les enfants d'une population retenue avant d'obtenir une information juste sur le sujet.

Un virus affectant le cerveau et ses annexes

Au cours de son invasion dans le sang d'un animal ou d'un humain dont l'immunité est affaiblie, le virus va se multiplier rapidement à partir des cellules du sang ou de divers organes (myocarde, pancréas, foie) associés à ce dernier. Il ira s'installer notamment au niveau des méninges, ces membranes entourant le cerveau, et même dans le liquide céphalo-rachidien (cerveau et canal de la colonne vertébrale); il causera une sérieuse inflammation des méninges ainsi que de parties du cerveau lui-même, d'où l'appellation de *méningo-encéphalite* pour la maladie en question. Une telle inflammation aura pour conséquence de perturber l'activité nerveuse, des maux de tête de même que des problèmes articulaires et musculaires (raideurs, courbatures) pouvant en découler. L'administration de médicaments définie par un médecin s'impose. Dans les cas extrêmes, c'est-à-dire en considérant les personnes piquées par un moustique infecté et ayant développé une encéphalite sévère, le virus peut entraîner la mort.

Les manifestations cliniques chez les animaux ne sont pas très bien connues, exception faite probablement du cheval, particulièrement sensible au VNO. Chez ce dernier, les conséquences immédiates d'une telle infection peuvent se traduire par une fièvre, une faiblesse générale, des convulsions et des spasmes musculaires; en Amérique, de nombreux chevaux ont été victimes du virus du Nil depuis 1999. Pour la seule année 2002, plus de 7 000 cas de mortalité (dont de nombreuses bêtes euthanasiées) ont été enregistrés aux États-Unis.

Contre le virus, la perspective d'un vaccin

Le virus du Nil est bien connu depuis sa découverte en 1937. Toutefois, pour les humains, aucun vaccin n'était encore au point lors de l'entrée du VNO en Amérique. Pour les chevaux, un vaccin s'est avéré relativement efficace ainsi que pour des oiseaux, notamment ceux de jardins zoologiques. Dans ces derniers cas, il s'agit d'une approche préventive visant à empêcher le virus de s'installer chez certains animaux d'élevage risquant alors d'entraîner de nombreuses mortalités et des pertes économiques non négligeables.

Actuellement, des travaux se poursuivent aux États-Unis et en Angleterre afin de retenir un prototype de vaccin efficace sur des animaux de laboratoire. Ils apparaissent prometteurs, compte tenu qu'un tel vaccin devrait entraîner rapidement la production d'anticorps pour neutraliser le virus. Des essais cliniques sur des humains auraient même débuté. Selon le succès escompté, il faudra attendre quelques années avant qu'il soit disponible au public.

En communication publique, un vocabulaire nouveau

Des étapes importantes se sont imposées avant qu'un oiseau, un pool de moustiques, un animal et une personne soient déclarés infectés par le virus du Nil occidental. Elles correspondent au temps nécessaire à la collection, à la préparation des spécimens ou des échantillons, à leur expédition à un laboratoire d'analyses qualifié ainsi qu'à l'application de procédés analytiques particu-liers. En bout de piste, c'est le diagnostic de personnes ayant vraisemblablement été exposées aux piqûres de moustiques infectés qui sera important. Les analyses sont complexes et souvent longues, particulièrement les tests de confirmation de la présence dans des échantillons humains (sang, liquide céphalo-rachidien) du VNO ou d'anticorps dirigés contre celui-ci. Selon la condition clinique d'une personne, les communiqués diffusés par les autorités médicales catégorisent les trois cas possibles suivants:

- *cas suspect:* personne qui, selon un médecin, affiche des signes cliniques interprétés comme suggestifs d'une infection par le virus du Nil;

- *cas probable:* personne passant de cas suspect à cas probable à l'issue des tests réalisés en laboratoire ayant permis de détecter dans son sang des anticorps fabriqués par son système immunitaire contre le virus du Nil;

- *cas confirmé:* personne passant de cas probable à cas confir-mé lorsqu'on a réussi à isoler puis à indiquer de façon précise la présence dans des échantillons de son sang du virus du Nil ou d'anticorps précis dirigés contre ce dernier.

On comprendra qu'un certain délai soit nécessaire pour obtenir un tel diagnostic, compte tenu des méthodes employées mais, surtout, de l'importance d'obtenir un verdict sans ambi-guïté. Ainsi, la confirmation annoncée d'une infection au virus s'appuie sur une identification sans équivoque de celui-ci ou d'anticorps présents dans le sang d'une personne infectée.

Chapitre 7

Comment diminuer les risques d'infection par le virus du Nil occidental

Des constats se sont imposés depuis le moment où le VNO est arrivé en Amérique du Nord: il est bien installé chez nous, de nombreuses espèces d'oiseaux sont devenues ses réservoirs, des maringouins, ses vecteurs par leurs piqûres et des mammifères, parfois des humains, ses victimes. C'est le modèle du cycle naturel de transmission d'une maladie vectorielle enregistrée souvent chez des animaux sauvages ou domestiques; certains acteurs de ce cycle peuvent supporter ou neutraliser l'intrus, d'autres en être fortement atteints, jusqu'à en mourir. Cette fois, l'humain s'inscrit dans le cycle, mais de façon plutôt accidentelle; ce cycle s'apparente à la propagation d'autres maladies surtout manifestes sous climats tropicaux. Dans le cycle qui nous intéresse, les maringouins pourraient très bien se passer de nous et continuer à soutenir la transmission du virus dans la nature. Toutefois, il faut le reconnaître pour les régions nord-américaines, l'homme a grandement aidé la cause de l'agent pathogène en question. N'a-t-il pas favorisé l'implantation des espèces de maringouins vecteurs du virus en leur offrant des endroits propices à leur ponte et à leur développement? Il s'en est fait leur complice. Il ne restait plus qu'au virus à entrer (encore là, l'homme en est-il responsable?) sur le continent, terrain nouveau mais combien accueillant pour cet agent pathogène qui peut y trouver les ressources nécessaires à sa multiplication et à sa propagation.

Commencer par sa cour

On sait que les maringouins affectionnent les plans d'eau stagnante; c'est là qu'ils amorcent leurs cycles vitaux les conduisant à rechercher des hôtes à piquer. Certaines de leurs espèces, susceptibles de porter le virus du Nil, se sont rapidement adaptées à l'eau croupissante de contenants variés de plastique ou de métal présents dans notre environnement immédiat. Cette eau reçoit divers débris organiques qui entreront rapidement en décomposition. Il en résultera des éléments nutritifs pouvant non seulement soutenir les petits organismes qui s'y trouveront, mais déclenchant aussi un effet attractif sur les maringouins cherchant un lieu où déposer leurs œufs. Toutefois, il apparaît opportun de rappeler qu'une eau nouvellement entrée en stagnation n'attirera pas immédiatement les moustiques. Plusieurs jours, même quelques semaines sont nécessaires. La température de l'air et le degré d'ensoleillement demeurent des facteurs qui détermineront la vitesse de décomposition de la matière et la sélection du milieu par des moustiques femelles cherchant des lieux de ponte.

Le maringouin sera en mesure d'occuper un objet récipient laissé à l'abandon dans la cour arrière d'une maison ou d'une entreprise commerciale pour y pondre ses œufs à la surface de l'eau accumulée ou parfois sur les parois internes du récipient. Dans ce dernier cas, il sera nécessaire que les œufs puissent être immergés pour éclore, alors que ceux qui ont été pondus à la surface de l'eau écloront de vingt-quatre à trente-six heures après leur ponte. Ainsi, en peu de temps, il est possible d'observer des centaines de petites larves qui deviendront autant d'adultes aux femelles susceptibles de piquer des hôtes (humains, animaux domestiques, oiseaux des mangeoires ou d'élevage) accessibles rapidement, surtout dans les environnements urbanisés. De tels récipients renfermant des larves doivent être vidés immédiatement.

Nous sommes tous interpellés devant la présence ou même la création involontaire en milieu urbain de lieux propices à l'implantation des maringouins. Nous sommes responsables de leur mise à contribution dans la prolifération qui en résultera.

Ainsi, il existe des approches simples, faciles à appliquer, pouvant réduire le problème de nuisance associée aux piqûres tout en minimisant les risques de transmission du virus du Nil.

Une première consigne vient immédiatement à l'idée : éviter l'abandon ou l'accumulation d'objets récipients destinés aux rebuts et, s'ils présentent une quelconque utilité, savoir les disposer convenablement dans des endroits sécuritaires ou les recycler selon les normes environnementales en vigueur. Il vaut mieux renverser tout objet récipient non utilisé plutôt que de le laisser accumuler de l'eau. Certains objets sont particulièrement visés : pneus abandonnés, bouteilles vides et même, faut-il le reconnaître, carcasses de voitures ou d'appareils ménagers qui s'ajoutent, hélas, aux objets divers. Ils sont trop souvent disposés ou mal entreposés à l'arrière des maisons, des entreprises commerciales, des bâtiments industriels et constituent d'excellents gîtes recherchés par plusieurs espèces de maringouins. S'ils sont destinés aux rebuts, tout au moins les percer afin qu'ils n'accumulent pas l'eau.

De plus, dans l'environnement immédiat, il devient important de revoir le plan d'entretien des équipements associés à l'accumulation d'eau provenant des précipitations ou conservée volontairement à des fins utilitaires. Ainsi, il faut veiller à ce que les tuyaux d'évacuation des toits plats et les gouttières ne deviennent obstrués ; un entretien périodique est nécessaire, notamment en saison estivale. L'utilisation de moustiquaires en bon état ou de toiles protectrices sur les barils d'accumulation de l'eau de pluie est prescrite.

Une seconde consigne vise l'entretien régulier des bassins d'ornementation (jardins d'eau) permettant la croissance de végétaux ou la venue d'oiseaux. Il faut alors pallier une trop longue stagnation de l'eau par une aération ou un brassage léger et, selon le cas, par un changement périodique de celle-ci. L'utilisation d'une pompe circulatoire peut prévenir toute stagnation de l'eau et l'apparition de larves de moustiques. La présence de poissons rouges dans des étangs peu aérés constitue un moyen efficace de lutte contre ces dernières. Par ailleurs, une attention doit être accordée aux abreuvoirs trop souvent abandonnés au va-et-vient d'animaux ainsi qu'aux embarcations tels les canots et les chaloupes non retournés à leur remisage temporaire en période estivale. Il ne faut pas oublier non plus les vases et leur base qui peuvent retenir une eau risquant de devenir croupissante après quelques jours. Il en est de même des pataugeoires qui, laissées à elles-mêmes, peuvent attirer après un certain temps des moustiques cherchant à pondre (mentionnons que les piscines qui fonctionnent normalement et dont la profondeur dépasse un mètre, ne sont pas retenues par les moustiques).

Ces consignes étant respectées sur un territoire tel un quartier municipal, le risque de voir des moustiques s'approprier notre environnement immédiat devient faible. Il y aura toujours des moustiques qui se présenteront (c'est une certitude!), mais leur nombre et, en conséquence, les risques de transmettre le VNO seront diminués. La nuisance qu'ils occasionnent par leur présence et leurs piqûres peut être atténuée par le comportement responsable de tous les membres d'une communauté accordant à l'environnement le respect qu'on lui doit. Les citoyens d'un quartier, d'un secteur, d'une ville seront mieux protégés en autant que tous participent à l'élimination de gîtes artificiels attirant les moustiques; il suffit qu'il y ait quelques négligents pour que des gîtes, même peu nombreux, soient à l'origine d'une nuisance de la part de moustiques adultes.

Toujours chez soi

Il n'est pas rare d'entendre dire que les haies de cèdres, d'épinettes ou même de feuillus sont des lieux donnant naissance aux maringouins qui, à la moindre occasion, ne tarderont pas à les quitter pour venir piquer les personnes qui sont à proximité. En réalité, ces endroits peuvent parfois abriter quelques-uns d'entre eux qui y ont trouvé refuge, le temps de quelques heures. Ces bordures ou buissons ne sont pas problématiques; toutefois, afin d'empêcher des moustiques de s'y retrouver et de nous embêter, un entretien des haies visant leur aération normale peut s'avérer efficace, l'astuce étant de permettre à l'air de mieux y circuler, ce que ces insectes n'apprécient guère.

On utilise les moustiquaires spécialement pour délimiter notre territoire face à celui des moustiques. Nous ne faisons que répéter ce que les anciens Égyptiens faisaient : ils installaient un *konopeion*, moustiquaire composée de fibres végétales, pour éviter les agressions d'insectes piqueurs. Cependant, condition primordiale, il faut que ces moustiquaires soient en bon état, au diamètre des mailles approprié, ne laissant entrer que l'air des belles nuits d'été qu'on saura mieux apprécier. Évidemment, il en va de même des filets protecteurs recouvrant les landaus, les lits pliants et les parcs pour bébés.

Il arrive que les voitures stationnées sous des arbres reçoivent les fientes d'oiseaux, notamment de corneilles. Y a-t-il des risques d'attraper le VNO pour quiconque enlève ces déjections ?

Il est préférable de porter des gants afin d'éviter de venir en contact toujours possible avec des particules du virus du Nil. Toutefois, le type de virus en question, dont les particules peuvent se retrouver sur une carrosserie, une fois exposé au soleil et à la chaleur souvent intense du métal, devrait alors perdre rapidement son potentiel infectieux.

Nouveauté en mode vestimentaire et dur coup pour l'intimité

Tôt le matin ou en soirée, alors que les maringouins profitent de l'humidité plus élevée et de l'absence de rayons solaires directs, des précautions élémentaires doivent être prises. Toutefois, il faut bien évaluer le risque d'être vraiment incommodé par des moustiques dans les lieux où l'on prévoit se rendre. Ainsi, dans l'éventualité où ces bestioles se manifesteraient, il est prescrit de porter des vêtements de couleur pâle (se rappeler que les moustiques perçoivent moins les radiations *froides*), longs, amples et tissés serré. En fait, il faut leur donner peu de chances de trouver l'endroit où se poser pour piquer. En contrepartie, les moustiques se reprendront en se dirigeant vers une personne portant des couleurs dites *chaudes*, tels le rouge, le marine, le vert foncé, le noir.

De plus, pour s'approcher d'une personne, les moustiques retiennent les émissions de diverses substances produites par le corps. Ainsi, au cours d'activités physiques, particulièrement au moment des périodes de repos, il ne faut pas être surpris d'en attirer un peu plus ; la libération par notre corps de divers produits métaboliques normaux, tels l'acide lactique et le gaz carbonique, peut stimuler les récepteurs sensoriels des moustiques qui ne tarderont pas à s'approcher. Il faut donc, le plus possible, demeurer en mouvement, ce qui peut perturber leur machination. Alors, l'utilisation de substances parfumées serait-elle une solution pour camoufler ce problème ? Non, bien que certaines semblent avoir un effet répulsif sur les maringouins. En réalité, ces derniers sont attirés par l'émission de substances volatiles, naturelles ou non. Donc, éviter l'emploi de parfums (même si certains répulsifs sont composés de produits utilisés en parfumerie, par exemple la lavande), à moins d'avoir une préférence pour l'un d'eux, vous permettant d'en tirer profit malgré une présence de moustiques alors devenue conciliable. Aussi, peut-être que sous les effluves déroutants de votre corps, les moustiques ne s'approcheront pas !

Dans la nature et parfois... au centre-ville

Pendant les promenades en forêt ou à ses abords, il faut éviter de marcher dans les herbes denses et hautes (notamment les fougères) qui sont, le jour, les lieux de repos des moustiques ; dérangés, ceux-ci ne tarderont pas à piquer, en dépit d'une exposition directe aux rayons solaires qui pourrait les incommoder. En camping, bien vérifier l'efficacité des moustiquaires des tentes ; elle pourrait changer un séjour de bonheur souhaité depuis de nombreux mois en une aventure inoubliable vous amenant à bannir à tout jamais cette belle activité de plein air !

Toutefois, la présence des maringouins est assurée dans les endroits les plus merveilleux du monde, que ce soit un parc national, les abords d'une rivière ou d'un lac, dans l'enceinte d'un cinéma de plein air ou dans un parc du centre-ville. Nos activités estivales, surtout pour profiter du beau temps, coïncident avec celles des moustiques. Dans les milieux naturels, ceux-ci peuvent toujours profiter d'autres animaux, mais ils semblent parfois trop apprécier la présence d'humains en train de relaxer! Il faut donc faire appel à des mesures de protection personnelle en les amenant à ne pas se poser sur soi. N'entretenons pas d'espoir, ils seront là, veillant à toute faiblesse dans notre protection individuelle.

Parmi les chasse-moustiques mis sur le marché, il est prescrit de s'en tenir essentiellement à ceux qui ont une propriété répulsive ou insectifuge[19]: ils empêchent les moustiques de se poser sur soi. En réalité, ils auront pour effet de bloquer chez ces derniers le mécanisme de reconnaissance des émanations naturelles du corps; ils continueront à tournoyer autour de nous, mais sans nous agresser physiquement. Les insectifuges devant être appliqués directement sur la peau, il faut les utiliser plutôt occasionnellement, avec prudence et discernement. Peut-être faut-il bien évaluer toute l'importance d'en avoir recours. *Ne jamais utiliser d'insecticides* dans la protection personnelle.

Les répulsifs, dits *chimiques*[20], les plus courants en magasin sont composés d'un produit de base connu sous le nom de *diéthyltoluamide* ou DEET. Ce produit, qu'il soit employé à une concentration de 5% ou de 30% est tout aussi efficace, seule la durée de protection variant selon la concentration[21]. Un tel produit doit être appliqué sur les parties de la peau exposées aux piqûres de moustiques en fonction du type de vêtement, aux

---

19. *Insectifuge* est le nom générique sous lequel apparaissent les noms des produits vendus sous diverses marques commerciales. *Chasse-moustiques* est également employé à l'occasion.

20. Produits de synthèse provenant de l'industrie chimique.

21. Au Canada, les répulsifs à plus de 30% de DEET devraient être retirés du marché avant longtemps.

heures et aux activités de plein air planifiées. Il nous apparaît raisonnable de recommander l'utilisation de concentrations de l'ordre de 5% à 15%, privilégiant les plus faibles pour les enfants et pour les femmes enceintes. D'ailleurs, au Canada, l'Agence de réglementation de la lutte anti-parasitaire (ARLA) indique que l'application répétée de faibles concentrations, par exemple de l'ordre de 10%, protège plus longtemps que les fortes concentrations appliquées une seule fois. Il va de soi qu'il faut éviter tout contact avec les yeux, les narines, la bouche et toute lésion. Rappelons que la peau des très jeunes enfants (moins de deux ans) demeure sensible et délicate; l'emploi de répulsifs naturels et doux apparaît plus convenable. Les mises en garde (selon les exigences de Santé Canada) des fabricants apposées sur les étiquettes (même si la taille de l'écriture défit souvent les limites de notre acuité visuelle!) doivent être parfaitement comprises; les personnes traitées pour certains problèmes de santé suivront les recommandations de leur médecin.

Il existe aussi sur le marché d'autres répulsifs[22] beaucoup plus doux pour la peau. Ils renferment des substances provenant de diverses essences végétales; mentionnons les huiles d'aloès, d'eucalyptus, de citronnelle, de lavande, de soya et même de sapin. D'ailleurs, de nombreuses plantes procurent des substances insectifuges pouvant, en région tropicale, soulager les agressions toujours intenses des moustiques. En région tempérée, de telles substances sont vendues sous diverses formulations dont des lotions, des crèmes, des savons et des shampooings; encore une fois, il est prescrit de suivre les consignes de sécurité des fabricants, particulièrement pour les enfants. Aussi, certains insectifuges sont même ajoutés dans des bougies odoriférantes; faut-il toutefois que les émanations se trouvent sur le chemin des moustiques!

---

22. Toujours vérifier sur l'étiquette si le produit est homologué par Santé Canada: un numéro d'enregistrement figure sur l'étiquette apposée sur le devant du contenant.

Sur les tablettes des magasins, il existe autant d'insectifuges que de marques de céréales. Comment choisir le meilleur? Il est important de signaler qu'un même produit peut offrir un temps de protection très différent d'un individu à un autre; de plus, une personne au repos est protégée plus longtemps qu'une autre physiquement active. Il faut donc essayer plusieurs produits et choisir celui qui convient le mieux aux activités projetées. Aussi, il est préférable d'éviter un produit à plus forte concentration si l'activité ne dure que trente minutes, par exemple. Il faut être très à l'aise dans le choix et l'emploi d'un répulsif donné. Tout en s'assurant d'une durée de protection satisfaisante, il convient toujours mieux d'utiliser une concentration qui ne gêne pas la quiétude de l'utilisateur.

Les personnes montrant une trop grande sensibilité aux produits répulsifs peuvent toujours recourir à l'usage d'un filet de tête empêchant le maringouin de trop s'approcher. De plus, le port d'une casquette ou d'un chapeau imprégné extérieurement d'un produit insectifuge peut atténuer les risques de piqûres au visage, au cou et aux parties dénudées de la tête (chez de plus en plus de retraités adeptes du plein air!).

Il existe aussi des produits à base de perméthrine (extraite d'une plante semblable à notre jolie marguerite des champs) ou de dérivés synthétiques de cette molécule qui semblent jouir d'une très grande popularité. On les retrouve sous la forme des fameuses spirales devant être allumées afin qu'elles libèrent les vapeurs bienfaitrices. La perméthrine et ses dérivés sont toxiques pour les moustiques; ils agissent alors par contact sur ces derniers. Leur effet répulsif est plutôt faible, ce qui les classe dans la catégorie «insecticides» et non «répulsifs». Il est important de ne pas en respirer les vapeurs et ne pas les appliquer sur la peau.

**La crème solaire possède-t-elle un effet répulsif
sur les moustiques?**

Bien qu'elle ne possède pas d'effets reconnus en ce sens, sa présence sur la peau pourra toujours rendre difficile l'installation d'un moustique femelle en vue d'une éventuelle piqûre; un peu comme le faisaient les anciens qui, en vue d'un séjour prolongé en forêt, s'enduisaient le visage, les bras et les jambes de graisse de marmotte ou d'ours. Il n'y avait pas d'effets répulsifs connus, mais les moustiques ne parvenaient pas à se poser. Cependant, ceux-ci continuaient d'exaspérer les gens par leur simple présence. Mais attention, les crèmes solaires sont rapidement absorbées par la peau, rendant ainsi leur utilisation comme répulsifs pour ainsi dire nulle.

Les maringouins ne recherchent que vous!

Devant les hordes de maringouins, certaines personnes se sentent davantage recherchées et même prisées que d'autres (dans ce cas, les insectes semblent toujours plus nombreux qu'à l'habitude). Elles sont choisies, s'énervent à leur approche, amplifient l'effet attractif et le plus souvent s'abandonnent aux agresseurs devant le peu de chances de s'en tirer. Est-il possible qu'une personne soit plus attrayante pour les moustiques qu'une autre? La réponse est oui!

En réalité, les moustiques sont surtout attirés par l'émission de chaleur et des substances émanant de notre corps. Toutefois, parmi ces dernières, il y a plus que les radiations infrarouges (synonymes de chaleur), le gaz carbonique et l'acide lactique. Ces insectes sont de grands sensibles, arrivant à percevoir plusieurs dizaines de produits issus de notre métabolisme. Parmi eux, des acides aminés peuvent s'ajouter à l'effet attractif des autres substances déjà signalées et même agir comme amplificateurs de l'approche. Ainsi, la personne concernée devient irrésistible; elle sera l'hôte de plusieurs moustiques. Par ailleurs, d'autres substances issues de notre métabolisme, toujours aux concentrations très faibles, peuvent avoir l'effet contraire: elles seront répulsives. Ainsi, il faut comprendre que les gens qui disent être piqués plus souvent que d'autres sont victimes non seulement des maringouins, mais aussi de leur propre métabolisme. D'autres, plus chanceux, peuvent tirer pleinement profit de leurs activités en plein air ; les moins chanceux se contentent de participer... davantage aux grands cycles de la nature !

Planifier différemment ses activités de plein air

Les activités de plein air occupent de plus en plus les gens. Dans les régions industrialisées, elles ont pris une importance telle que les grossistes, les agents de voyages et les promoteurs touristiques doivent revoir à la hausse l'offre de leurs produits et services en matière d'accessibilité à la nature.

En ce qui concerne les risques d'être infecté par le virus du Nil à la suite des piqûres de maringouins, ils sont faibles, nous l'avons vu. Ainsi, il serait malheureux de se priver d'activités en pleine nature, comme les balades, les excursions de pêche ou de camping. Cependant, une meilleure planification des sorties, tenant compte des heures d'abondance des moustiques, peut s'avérer nécessaire tant pour le confort et l'agrément que pour l'assurance d'encourir moins de risques d'être infecté par le VNO. Il va de soi que, selon les lieux fréquentés (parcs urbains, plages, parcs nationaux), les mesures de protection personnelle doivent être considérées.

Une journée à la plage risque-t-elle d'être gâchée par la présence de moustiques et la perspective d'une transmission de VNO ?

Il existe le long des côtes d'Amérique quelques espèces de moustiques qui se développent dans les retenues d'eau salée et stagnante à proximité des plages. Toutefois, en présence du vent et du soleil, ces insectes ne s'aventurent guère sur les plages, exception faite des fins de journée et en soirée ; dans ce dernier cas, l'utilisation de répulsifs (ou insectifuges) est conseillée. Aussi, il peut arriver que des espèces proliférant dans l'arrière-pays viennent se balader près des plages ; mais c'est plutôt en fin de journée qu'on remarquera leur présence. Un ciel nuageux et un climat humide peuvent favoriser la venue des moustiques en plein jour. Cependant, les risques que certains d'entre eux soient porteurs du VNO demeurent faibles.

Attention aux «gadgets»

Il n'est pas rare que des marchands ou des fabricants proposent divers appareils ou produits annonçant une efficacité sans précédent pour éloigner les moustiques. Ainsi, l'utilisation d'ultrasons émis par certains bidules s'avère inefficace, les femelles moustiques, celles qui piquent, n'étant pas réceptives. Pour ce qui est des grilles électrifiées attirant les insectes, pour la très grande majorité non nuisibles, elles ne règlent en rien le problème des moustiques; ceux-ci sont très faiblement attirés par de tels pièges et leur calcination sur le grillage métallique n'est qu'une anecdote sur l'effectif fortement élevé de leurs populations qui, en réalité, peuvent éviter les pièges et s'implanter dans nos lieux de délassement estival.

Quant à certains produits tels que certaines vitamines, l'ail, les plantes qui sentent le citron, etc., il n'existe pas de preuves scientifiques soutenant un quelconque effet répulsif.

De zen à placebo, en passant par «Mon grand-père m'a dit...»

Mais que font les gens qui doivent passer tout l'été à l'extérieur, exposés aux attaques répétées des maringouins? Pendant que vous vous débattez avec répulsifs, filets de tête, vêtements souvent aux couleurs foncées, ces gens ne semblent pas affectés plus qu'il ne faut par ces vampires. Il faut observer leur comportement pour comprendre. Jamais ils ne vont écraser un moustique en utilisant une technique digne d'un boxeur poids lourd, la délicatesse ayant aussi sa place même avec un intrus cherchant son repas sanguin. Jamais de grands coups ou de gestes effarouchés qui ne serviront qu'à attirer la *deuxième ligne d'attaque* à la recherche d'une pâture humaine. Il faut être zen ou adepte du thai chi! D'un geste lent, réfléchi, mesuré, la bête peut cesser d'exister. Aucune urgence; de toute façon, une fois la piqûre ressentie, le mal est déjà fait!

Certaines personnes utilisent des produits *secrets* sans aucune efficacité reconnue et jurent qu'elles ne se font pas piquer... et souvent, elles frôlent la vérité. L'effet placebo créé par certains fabricants ou issu de légendes demeure fort.

Certains mordus de la pêche et de la chasse ne rapportent-ils pas que leur grand-père les avait préparés à affronter les maringouins en négligeant de se laver, soutenant alors que ces derniers ne s'approcheront pas? Comme ces insectes sont attirés, entre autres choses, par les odeurs dégagées par le corps, l'accumulation pendant quelques jours de ces substances risque de transformer la personne en un piège... à la grande joie de ses compagnons qui devront malgré tout la supporter durant toute la durée de l'activité!

Après la pluie, le beau temps... et les maringouins

Il demeure, c'est bien connu, que les maringouins sont toujours au rendez-vous dans les heures, pour ne pas dire les instants, qui suivent une pluie. C'est bien normal, puisqu'ils profitent de l'humidité élevée pour se déplacer et surtout chercher un hôte à piquer. Évidemment, leur abondance est manifeste et les possibilités que certains individus transportent le VNO sont plus grandes. Par ailleurs, si le vent persiste, les moustiques resteront cachés ou seront transportés au loin.

La présence et l'abondance des maringouins sont liées à de nombreux facteurs, nous l'avons déjà vu. Toutefois, la localisation géographique, le paysage végétal et surtout la topographie ou le relief du terrain sont déterminants. Les espèces rencontrées varient beaucoup avec les régions et leurs conditions climatiques; sous des latitudes plus nordiques, on enregistre moins d'espèces, mais leurs individus sont plus nombreux; plus au sud, c'est l'inverse (même si le nombre d'individus nous paraît toujours trop élevé!). Les espaces plats et enrichis d'arbres favorisent la retenue d'eau pour le développement des larves ainsi que la formation d'abris pour les adultes; ils maintiennent une humidité plus élevée. Les milieux plus accidentés pourront aussi soutenir la formation de mares à moustiques, mais profiteront surtout aux mouches noires (tout aussi célèbres comme insectes nuisants), colonisatrices de cours d'eau peu profonds.

Il devient difficile de prédire, même à court terme, les saisons dites à moustiques de celles qui seront moins propices. Trop de facteurs interviennent. Toutefois, d'une année à l'autre, leur présence est certaine. On peut en faire une prédiction!

Conclusion

Allons jouer dehors!

On est encore loin des véritables fléaux attribués aux insectes piqueurs et vécus par les populations humaines d'Asie, d'Afrique, d'Amérique centrale ou d'Amérique du Sud. Mais avec le virus du Nil occidental maintenant installé en Amérique, on constate que nous ne sommes pas à l'abri de problèmes de santé et d'inconfort inconnus jusqu'à l'automne 1999. Tout à coup, nous devenons plus vulnérables ; plus petites bêtes que nous arrivent à perturber les activités habituelles de nos saisons estivales !

Notre civilisation est beaucoup plus liée à la nature qu'on l'imaginait. On ne peut s'en soustraire compte tenu des ressources qu'elle nous procure mais aussi des liens biologiques auxquels elle nous a associés depuis toujours. Notre présence bien involontaire dans le cycle du VNO, tout comme le sont les oiseaux et les moustiques, n'en est qu'une preuve tangible, dorénavant difficile à ne pas reconnaître. Il revient à chacun de nous de bien connaître tous les acteurs d'un tel cycle et surtout les conditions qui lui permettent de se réaliser en totalité. Toutefois, il peut être possible de limiter notre participation dans ce cycle, surtout sachant que les moustiques demeurent ceux qui établissent le pont entre nous et le virus. C'est donc en s'intéressant davantage à ces insectes, en découvrant, grâce à la recherche, leurs mœurs et les milieux colonisés, qu'il devient possible de limiter leur développement, de diminuer notre exposition à leurs agressions ou, à une plus grande échelle (approche réservée aux biologistes spécialistes), de réduire leur effectif.

Chaque citoyen est en mesure de se prémunir contre les moustiques dont certains sont des vecteurs reconnus du VNO. Les moyens d'atténuer les risques de contracter ce dernier et d'apaiser les craintes engendrées sont bien connus : éliminer les gîtes artificiels où peuvent se multiplier les moustiques, mieux planifier les sorties et les activités dans ou à proximité des milieux naturels, porter des vêtements appropriés et surtout utiliser des produits répulsifs prédisposant à une protection efficace. Les risques d'être affectés par le virus du Nil occidental demeurent somme toute minimes, les moustiques infectés n'étant pas légion; ils risquent plus de nous incommoder par la douleur de leurs piqûres ou par la nuisance que leur présence suscite. Ainsi, le choix des moyens de protection contre les moustiques ne doit pas brimer le plaisir de réaliser les activités de plein air projetées pour la saison estivale.

Bien entendu, la présence du VNO sur le continent nord-américain est devenue une réalité avec laquelle il faudra dorénavant composer. Il peut se retrouver en pleine ville, mais il ne faut pas négliger les milieux naturels que nous aimons fréquenter. Cette présence ne peut être ignorée par quiconque. Les risques d'atteinte à la santé apparaissent faibles, mais ils sont toujours là. Certaines personnes peuvent en être affectées plus que d'autres en mesure d'offrir une défense immunitaire efficace.

Il faut s'attendre à ce que le VNO déborde les limites urbaines et suburbaines à l'intérieur desquelles il a surtout été enregistré jusqu'à ce jour. Les oiseaux se déplacent considérablement et les moustiques occupent déjà des milieux naturels avant d'avoir convoité et colonisé des milieux artificiels. Il est donc plausible que le virus se retrouve en forêt, en bordure des lacs et des rivières, dans les régions moins habitées où bon nombre de vacanciers réalisent leurs activités. Tout dépend de la consolidation du cycle de transmission, la liste des types d'animaux vecteurs et d'animaux réservoirs pouvant s'allonger ou se limiter à ceux qu'on connaît déjà. Les expertises réalisées dans les régions des Prairies (Ouest de l'Amérique) n'ont-elles pas révélé en 2003 l'activité vectorielle d'une autre espèce de *Culex*, cette fois *tarsalis*, dans la dissémination du virus du Nil? Dans ces régions, l'action de cette espèce s'est imposée plutôt dans les zones rurales; les cas de fièvre et d'encéphalite ont affecté de nombreuses personnes dispersées sur de plus larges territoires par rapport aux cas enregistrés dans les zones urbaines et suburbaines de l'Est et du Centre de l'Amérique.

Les services de santé, les biologistes entomologistes, les vétérinaires et les gestionnaires de la faune, tant américains que canadiens, veillent à circonscrire et même diminuer le champ d'action du VNO. Des plans de surveillance de son expansion territoriale ainsi que d'interventions préventives contre les moustiques vecteurs ont été établis, voire appliqués, compte tenu des risques évidents pour la santé humaine. C'est là une certaine assurance devant atténuer les craintes de beaucoup de personnes.

En périodes d'activité des moustiques, la protection personnelle contre d'éventuelles piqûres doit être constante ; la quiétude face au virus du Nil est tout aussi importante que le souci d'un meilleur confort. Il ne faut surtout pas s'empêcher de sortir, de fréquenter les endroits publics et les milieux naturels qui nous plaisent. Jamais le slogan des tenants des activités plein air n'aura été si judicieux et approprié : *allons jouer dehors !* Il faut cependant retenir qu'une meilleure planification des périodes d'activité et une protection adéquate contre les piqûres de moustiques s'imposent. Il revient à chacun de nous de décider d'adopter les mesures de protection appropriées. De plus, dans l'optique du choix de certaines mesures, il faudra être très à l'aise avec ces dernières. Il en est du libre choix de chacun. Aussi, malgré que le cycle de transmission du VNO coïncide surtout avec la période estivale allant du début août à la mi-septembre, les activités et les séjours à l'extérieur ne sont que plus agréables si l'on s'assure de ne pas être incommodé par les piqûres des moustiques ; une vigilance à leur égard maintenue de la fin du printemps au début de l'automne peut certainement contribuer à une meilleure qualité de vie.

Enfin, à la suite de la lecture du présent livre, il est vivement souhaité que l'information qu'il contient puisse éclairer les gens sur ce nouveau virus nord-américain et favoriser leurs démarches afin de mieux s'en protéger, notamment en connaissant les lieux et les facteurs responsables de l'éclosion de moustiques. On possède encore trop peu de données sur la propagation du VNO, sur les animaux réservoirs ou vecteurs et évidemment sur ses effets à moyen ou à long terme sur la santé humaine et animale. Il devient primordial, dans une société comme la nôtre se souciant du bien-être et de la qualité de vie de chacun, que des équipes de scientifiques s'engagent dans la recherche de réponses aux questions soulevées par l'arrivée d'un intrus microbiologique dans les écosystèmes d'Amérique, qu'ils soient naturels ou artificiels. Des créneaux de recherche importants s'ouvrent tant en biologie et en écologie qu'en médecine et en épidémiologie. Par ailleurs, les bailleurs de fonds, privés et gouvernementaux, doivent participer; mais pas uniquement après que l'agent infectieux concerné s'est manifesté? Au moment de la publication du présent livre, on s'apprêtait à vivre une saison estivale suscitant toujours l'inquiétude chez les gens. Pour ces derniers, la diminution ou même l'abandon de la pratique d'activités de plein air ou de travaux extérieurs quotidiens serait certainement plus nuisible pour la santé physique et le moral de chacun que la crainte soulevée par le virus du Nil occidental.

Comme nous l'avons mentionné dans le premier chapitre, l'arrivée du VNO en Amérique fut le début de l'une de ces nombreuses histoires liées à la santé qu'aura connues l'humanité. Elle continuera d'alimenter les rubriques de journaux, mais aussi les relevés et les archives des sciences biologiques et médicales. Elle sera davantage teintée du lien étroit et inébranlable qui existe entre les humains et leur environnement. Malgré qu'une telle démonstration de notre appartenance à la nature ne soit pas nouvelle, la présence d'un participant additionnel dans les cycles naturels auxquels nous sommes obligatoirement associés continuera d'inquiéter. Cependant, ce nouvel acteur aura permis de vérifier notre promptitude à réagir aux problèmes engendrés, mais aussi de nous rappeler que nous demeurons vulnérables, comme tout être vivant, aux modifications que nous faisons subir aux composantes de la nature et à celles de notre propre environnement, de même qu'aux atteintes que nous leur portons.

Glossaire

Bactéries: organismes microscopiques formés d'une seule cellule dépourvue de tout noyau. Les bactéries possèdent une très grande variété de formes et leur reproduction se fait par division ou scissiparité. Elles participent pleinement au processus de décomposition et de transformation de la matière organique; certaines peuvent être pathogènes et responsables de maladies chez les plantes et les animaux.

Bti: produit toxique tiré d'une bactérie du sol, au nom latin de *Bacillus thuringiensis*, variété *isralensis,* et utilisé dans la lutte contre les moustiques et autres insectes piqueurs. C'est un produit biologique.

Broméliacées: famille de plantes tropicales. Leurs feuilles et leurs aisselles collectant l'eau des précipitations peuvent servir de milieux au développement de certaines espèces de moustiques. L'ananas fait partie des broméliacées.

Crustacés: classe d'invertébrés appartenant à l'embranchement des arthropodes. Pour la très grande majorité aquatique, ils possèdent des membres articulés et une carapace de chitine imprégnée de sels de calcium. Le homard, le crabe, l'écrevisse et la crevette sont des crustacés.

Dendrothelmes: mot désignant la formation de cavités (ou trous) dans la tige ou les branches d'un arbre. De telles anfractuosités peuvent collecter l'eau des précipitations et devenir des gîtes à moustiques.

Diapause: période d'arrêt des activités d'un insecte permettant des transformations essentielles à son organisation structurale et fonctionnelle. Un tel arrêt peut être obligatoire (selon le stade de développement) ou circonstanciel (sous des conditions climatiques difficiles).

Écologie: partie de la biologie qui s'intéresse aux comportements des êtres vivants, à leurs conditions de développement ainsi qu'aux relations qui existent entre eux et avec leur milieu.

Écosystème: entité physique formée par un milieu et les êtres vivants qui l'habitent et interagissent ensemble ainsi qu'avec ce dernier. Une érablière, un lac, une prairie, une ville en sont des exemples.

Entomologie: partie de la biologie qui s'intéresse à la vie, au comportement, au développement des insectes, à leurs rôles et aux problèmes qu'ils peuvent engendrer, notamment en foresterie, en agriculture et dans le domaine de la santé humaine et animale. Le biologiste pratiquant l'entomologie est un entomologiste.

Épidémiologie: discipline qui s'intéresse aux causes et aux facteurs à l'origine de maladies, qu'elles soient infectieuses ou non. L'épidémiologiste établit les moyens de prévention ou de lutte contre ces dernières.

Habitat: lieu ou environnement immédiat où vit et se reproduit une espèce animale. Par exemple, la forêt boréale constitue l'habitat de l'orignal.

Métabolisme: ensemble des processus permettant la transformation de la matière organique de laquelle sont tirés les éléments qui soutiennent la formation des cellules et des tissus ainsi que l'énergie qui favorise leur fonctionnement.

Métamorphose: ensemble des étapes permettant à un animal de se développer et de se transformer pour atteindre l'âge adulte. L'exemple le mieux connu de la métamorphose est le passage par étapes ou stades de la chenille vers la chrysalide puis vers le papillon. Ces trois étapes font apparaître des individus partiellement ou entièrement différents, d'où le terme *métamorphose* pour désigner leur transformation.

Micropyle: petite dépression renfermant une ouverture située à l'une des extrémités de l'œuf d'un insecte et par laquelle passe le spermatozoïde au moment de la fécondation.

Morphologique: caractère relatif à la forme extérieure de tout être vivant.

Protozoaires: groupe d'organismes animaux ne possédant qu'une seule cellule munie d'un noyau. Les protozoaires se reproduisent sexuellement ou par division. Le plasmodium transmis au moment de la piqûre par certains moustiques (anophèles) est responsable du paludisme ou malaria. La majorité des protozoaires sont associés aux cycles de décomposition de la matière organique.

Sarracénie: plante des tourbières d'Amérique du Nord, aux feuilles en forme d'urne qui récoltent l'eau des précipitations. Reconnue comme plante carnivore, la sarracénie se nourrit en partie des insectes qui meurent et se décomposent dans l'eau accumulée. Une espèce de moustique, *Wyeomyia smithii*, accomplit tout son cycle de développement dans de telles urnes foliaires.

Sérologique (analyse): relatif à l'étude des composantes des sérums et de leurs propriétés.

Tourbière: espace marécageux composé de végétaux, notamment de sphaignes, dont la croissance les amène à le combler progressivement par la formation de tourbe. L'eau soutenant ou imbibant cette tourbe est toujours acide.

Vecteur: plante ou animal pouvant assurer la transmission d'un agent pathogène à un autre organisme vivant. Dans le cas du virus du Nil occidental, des moustiques en sont les vecteurs par les piqûres qu'ils infligent à des animaux vertébrés.

Vermine: nom collectif utilisé ici afin de désigner des animaux indésirables, tels rats, souris, poux et puces, pouvant se retrouver dans des lieux devenus négligés et malpropres.

Virus: microorganisme parasite très souvent pathogène ne pouvant vivre et se reproduire qu'aux dépens d'une cellule vivante. Il est formé de protéines et d'un seul type d'acide nucléique (ARN ou ADN).

POUR EN SAVOIR PLUS

Depuis l'avènement du virus du Nil en Amérique du Nord, beaucoup d'informations ont été diffusées tant par les journaux que par les médias électroniques. Toutefois, le phénomène est récent. De nombreuses recherches devraient alimenter la banque de données sur le sujet et nul doute que le public deviendra de plus en plus intéressé à accéder à l'essentiel des connaissances afin de mieux se protéger, de s'assurer d'une qualité de vie et surtout de comprendre les modes de transmission du virus et les interventions posées.

Conscients de l'existence d'une foule de sites électroniques sur le VNO et ses *à côté*, nous nous permettons de donner quelques sources d'informations et adresses utiles sur le sujet.

Écrits

- Acha, P.N. & B. Szyfres. 1989. *Zoonoses et maladies transmissibles communes à l'homme et aux animaux.* Office International des Épizooties. Paris, 1 063 p.

- Bourassa, J.-P. 2000. *Le moustique, par solidarité écologique.* Éditions du Boréal, Montréal, 240 pages.

- Spielman, A. & M. D'Antonio. 2001. *Mosquito.* Hyperion Books, New York, 247 p.

Sites téléphoniques et électroniques importants

- Santé Canada :
  - 1-800-816-7292
  - www.virusduniloccidental.gc.ca
  - www.westnilevirus.gc.ca

- www.hcsc.gc.ca/francais/virusnil/index.html
- www.hcsc.gc.ca/pmra-arla (pour informations sur les produits insecticides et les produits insectifuges ou répulsifs)
- Ligne Info-VNO-Québec (numéros sujets à modifications; confirmés et diffusés chaque année):
  - Communication-Québec: 1 800 363-1363
  - Centrale de signalements d'oiseaux morts: 1 (418) 654-3140
  - SOPFIM (insecticides, impacts environnementaux): 1 (514) 383-3912
  - Info-Santé (symptômes, prévention, moustiques, etc.):
  - www.virusdunil.info
  - INSPQ (Institut national de santé publique du Québec): www.inspq.qc.ca/vno/evaluation.asp
- Les sites électroniques des Services de santé des provinces canadiennes informent sur le sujet.
- France:
  - EID Méditerranée (Entente interdépartementale pour la démoustication du littoral méditerranéen: www.eid-med.org
- États-Unis (plusieurs sites électroniques répondant à «westnile» pour la plupart des États):
  - CDC (Center for Disease Control and Prevention): www.cdc.gov/ncidod/dvbid/westnile/index.htm
  - Université Cornell: http://environmentalrisk.cornell.edu/wnv/

 **AGMV** Marquis

MEMBRE DE SCABRINI MEDIA

Québec, Canada
2004